# 今日のミトロジー

中沢新一
Nakazawa Shinichi

講談社選書メチエ

le livre

# 序文

ロラン・バルトは『ミトロジー』（一九五七年刊）の序文に、次のように書いている。

以下の本文はすべて、一九五四年から一九五六年にかけて毎月、ときの現実に従って書かれた。当時わたしは、フランスの日常生活のいくつかの神話について、規則的に考察しようと試みていた。この考察の素材は極めて変化に富むことになり（新聞記事、週刊誌の写真、見世物、展覧会）そして主題は極めて任意的になっている。もちろん、わたしの現実が問題となっているのだ。（『神話作用』篠沢秀夫訳、現代思潮社、一九六七年）

ここに書かれていることは、そっくりそのまま、私の書いた『今日のミトロジー』にあてはまっている。二〇二一年の一月からほとんど毎週（「ほとんど」というのは、途中から『週刊現代』の発売日が変動的になったからである）、ときの現実を相手にして書かれた。私も現代の日常生活に侵入し、たしかな場所を得ているミトロジー（神話）について、規則的に考察しようと試みた。考察の素材も、スポーツ、漫画、ポップス、映画、政治、玩具、食べ物、戦争などと、きわめて多岐にわたっており、主題の選択についても「ときの現実」ということを重視しただけで、系統立った規則性はない。そしてなによりも問題になっていたのは、ここでも「わたしの現実」である。

しかしロラン・バルトの本と私の本の間には、ミトロジーに対する認識における根本的な違いがある。言語学の時代の夜明けに書かれた『ミトロジー』は、ミトロジーがなによりも言語現象であることに焦点を合わせている。ミトロジーは通常の言語表現の上に構築されるメタ言語であり、それをつうじて象徴的含意であるコノテーションを伝達する。このような視点に立って、バルトはその時代の日常生活に浸透しているさまざまなミトロジーを考察したのである。

これにたいして『今日のミトロジー』は、人新世《じんしんせい》の前期に書かれた本として、人間の心のなかの言語《ラング》よりもさらに深い場所にセットされている、未知の構造に焦点を合わせている。『カイエ・ソバージュ』や『レンマ学』などの著作で明らかにしてきたように、この未知の構造はミトロジーというものが語られ始めた上部旧石器時代の人類の脳にはじめて形成され、それ以後も基本的な設計を変えることなく、現在も使用され続けている。

ミトロジーはこの未知の構造から直接的に生み出されてくる思考である。それはおもに言語を媒体にして、現実生活の現場に表現されてくるものだから、一見するとミトロジーはまるごと言語現象であるかのように見えるが、じっさいには言語《ラング》すら包摂する未知の構造から生み出されているのである。

『今日のミトロジー』はこのような視点に立って、現代の日常生活にその姿のごく一部分を露頭させている、この未知の構造の感触を確かめようとする試みである。そのためときには、現代的事象と古代的事象とをショートサーキットで結びつけるような記述が見受けられることもある。しかしこれは神話研究にありがちな「原型への還元」とは異なるものであることを、ここでは前もって強調しておきたい。

私はむしろ思考の「連歌《れんが》」をおこなっているようなつもりで、毎回の文章を書いたのである。連歌では五・七・五の発句と七・七の脇句は喩的思考の作用によって、ねじれをはらんで結びつけられる。こうして生まれた最初の句が、連想によって次々と長句と短句（平句）を呼び寄せ、最後の句（揚句）へといたる。前の一句と続きの一句では、扱われる素材は同じであってはいけない。しかし二つの句は、未知の構造を介してつながっている。不連続が連続をつくりだすのである。したがって、そのような原則に立って書かれている本書では、「原型」も「還元」も働きようがない仕組みになっている。

素材の多くが現代日本の日常生活から取られていることもあってか、私はこの仕事をつうじて、この国の文化がかなりの深い層にいたるまで、ミトロジーによって影響を被っているという事実を観察して、いまさらながらの驚きを感じた。いやこの国の文化そのものが、深層においてミトロジーを土台になりたっているのかもしれない。日本文化の豊かさもまたグローバリズム化された世界で露わになっているその弱点も、そこに起因している。ミトロジー研究はそれゆえ今後も重要性を失うことはない。
日常生活から取り出された何気ない素材の中に、深遠な人類的主題が隠されていることを、私はこの本で示そうとした。そのような方法のお手本を最初に示して見せたのは、マルセル・モースの教育であったが、『ミトロジー』と『記号の帝国』におけるロラン・バルトの仕事でも、その精神が生きていることを私は強く感じてきた。それゆえこのような探究をつうじて、日常的な事物の中に、聖なるものの断片が垣間見えて来る瞬間が訪れることがある。書くことの快楽は、そのような瞬間と結びついている。

二〇二二年十月二十七日

中沢新一

目次　今日のミトロジー

序文　1

# I

## II



## III

# IV

# V

# 今日のミトロジー

# I

# スケートボードのポエジー

## ジャグリングとスケボー

路上パフォーマンスをおこなうアーティストたちは、概してお金がないから、手に入りやすい日常的な道具を使って、芸を見せることが多い。道具を普段の生活の場面と同じに使用したのでは、芸にならない。道具が普段用いられている環境から切り離して、道具に別の意味合いを与えることによって、面白さや驚きを与えようとする。

たとえば、空中にテニスボールのようななにかの道具を投げ上げて受け取ることを繰り返し、まるでその道具がずっと空中にいるように見せる、ジャグリング芸の場合。宙に投げ上げられたボールは、現実の中ではなんの役にも立たない存在へと変容する。そのボールが、まるで重力からも自由になったかのように、空中に浮かび続けるのである。このときボールは「無為」と「自由」の象徴となる。芸人の筋肉は激しい運動を続けるが、芸自体はこの世にクールな無為を出現させる。

スケートボード（ストリート）の面白さは、この放下のジャグリング芸の上下を反転させたような構造から生まれる。路上や公園でローラースケートをしていた若者たちによって考案されたこのスポーツでは、市民生活にとって通行や安全のために、とても有用な機能を果たす手すりや階段が、むしろ邪魔な障害物として、無用を宣告される。

そうやって有用な機能を奪われた手すりや階段は、トリックを実行するための「もの」に変容し、スケーターたちはそれを用いて、自分自身をジャグリングのボールに変えて、宙を舞うのである。スケーターたちは、路上パフォーマーと同じように、市民の日常生活をなりたたせている有用な行動の「文法」を、ひっくりかえしてみせ、自分の身体とそうやって無用になった「もの」を使って、日常の外にある「美」を、短時間だがこの世に出現させようとするのである。こういう美には、しばしば「ポエジー」が宿ると言われてきた。

## 新しいポエジー

じっさいスポーツとしてのスケートボードは、詩の言語とよく似た性質をもっている。詩の言語は、日常生活でみんなが使っている、ふつうの「ことば」を素材に用いて、仕事をする。そのことばを日常的な環境から離脱させて、意味の浮遊状態をつくりだし、音やリズムや色彩などの統一感を頼りに、新しいことばの組織体を生み出すというのが、詩の仕事である。

いっぽうこのスポーツは、ことばは使わない。そのかわり、身体とスケートボードという道具

「何を聞いていたの？」と聞かれた
日本のメダリストは「ラスカル」と答えた。
この「ラスカル」がアライグマのことなのか、
ラッパーの名前なのか。
これは一種実存的問題である
（その後、ラスカルはアライグマと判明した）
（JMPA）

を使って、詩の言語と同じことをしている。それはこのスポーツが、手すりや階段や坂道など、日常的な世界をつくっているさまざまな「もの」から、有用な用途を奪い取って、ものごとの意味や機能を浮遊させながら、「身体＋スケートボード」をその浮遊空間に投げ込んで、さまざまなトリックが生み出すつかの間の「美」を出現させるからである。

しかも、このスポーツが発生させているポエジーは、本質的に新しい。フィギュアスケートや新体操やサーフィンも、ある種のポエジーを発生させている。しかしスケートボードの場合に比較すると、そうしたスポーツのポエジーは、「古典的」である。古典的なポエジーを支えているのは、クラシック音楽のように連続的に流れていく、なめらかなメロディ線である。

それにたいして、スケートボードの発生させるポエジーは、なめらかなメロディの連続線を断ち切ってしまう突然のジャンプを基本とする。空中でのボードの回転なども突発的で、非連続な短いカットが集積されて、パフォーマンスが出来上がっている。

その意味で、スケートボードの発生させるポエジーは、オリンピック競技に含まれるスポーツとしては、新しいのである。このポエジーにもっとも近いことばによる詩と言えば、現代ではおそらく「ヒップホップ」のそれということになろう。

このような新しいポエジーを発しているスポーツを解説するとなると、新しいタイプの解説者が必要になる。古典的スポーツの解説では、スケートボード型ポエジーを抑圧してしまうからである。野球の解説でもない、プロレスの解説でもない、まして「古典的」なオリンピックの競技解説でもない、新しいタイプの解説が出てこなければならない。

## 新しいスポーツ解説

スケートボードの発するポエジーを語るには、どんなリズム、どんな韻律、どんな語彙が必要だろうか。とりわけどんな語彙が。スケーターたちがプレイしながら自然に口にしている語彙は、このスポーツのポエジーから自然にこぼれ出てきたものだ。「ゴン攻め」「ビッタビタ」などという表現は、スケーターたちが共有する新奇な語彙群であるが、それらはスケートボードのポエジーの構造と自然に合致している。そういう語彙に付随するイントネーションも強弱変化も、このスポーツの「癖」のようなものを、うまくとらえている。

それゆえ、二〇二一年の東京オリンピックにおいて、NHKがスケートボードの解説者として登場させた人物の選択は、「スポーツの詩学」という観点から見ても、まったく正しいものだったと言える。どんなスポーツにもポエジーが宿っており、それぞれにふさわしい解説の詩法がある。

# ウルトラマンの正義

## 迷路のような正義

ウルトラマンが登場したのは、日本が激動の時代に突入していた一九六〇年代半ばのことで、その頃はさまざまな価値が激しく動揺していた。正しいとされてきたことが疑問視され、悪と見られてきたことをむしろ創造的であると考える人たちが出てきた。この番組を見ていた子供たちにとっては、平穏な暮らしをおびやかす怪獣と闘ってくれるウルトラマンは、まちがいなく正義の味方だっただろう。しかし番組を制作していた大人たちは、ウルトラマンがとてもひとことで正義の味方とは言えない、複雑な事情を抱えた宇宙人であることを、はっきりと理解していたことが、今ではよくわかる。

怪獣を追って地球にやってきた宇宙人が、衝突事故で地球人に瀕死の重傷を負わせてしまったところから、物語は始まっている。そのときの罪責感から地球人を守ろうとする側に立つことになったウルトラマンは、地球人の暮らしをおびやかす怪獣や宇宙人と闘う存在となったものの、きわめて複雑な内情を抱えていた。

まっさきに浮かんでくるのは、怪獣と闘うウルトラマンの行為は、果たしてストレートに正義と言えるのか、という疑問である。番組の制作者たちは、怪獣をたんなる悪としては考えていなかった。六〇年代後半と言えば、日本の経済が高度成長期に入った頃で、各地で環境破壊が進んでいた。それまでかろうじて保たれていた人間と自然のバランスに、いたるところで裂け目ができていた。

その裂け目から噴き出してくる、怒りに満ちた自然のエネルギーを象徴する存在として、あの怪獣たちが地中や宇宙空間から出現してきた。そうなると怪獣を地上に引き出してしまったのは人間であり、その怪獣と闘っているウルトラマンは、ねじくれた回路の中で、人間の味方をすることによって、根本的な矛盾から目をそらしていることになる。ウルトラマンのしていることは、果たして正義の行為なのか。ウルトラマンの正義は、かくのごとく迷路のようにこんがらがっている。

その矛盾にはウルトラマン自身が気づいていたらしく、怪獣との闘いにその内心の葛藤がよくあらわれている。ウルトラマンは怪獣を徹底的に壊滅させたいのではなく、間違ってさまよい出てしまった地上から退場させて、もとの穏やかな住処《すみか》である地中や宇宙空間へと送り届けようと努力している。怪獣との闘いはしばしばプロレスのようだ、儀式のようだと評されていたが、その儀式性の理由はそんなところから発生している。

ゴジラに引き続いて今度は
ウルトラマンが現代に召喚されている。
現代日本人は自分の得意とする
ミトロジー思考の再活用を模索している
（協力　株式会社円谷プロダクション）

## 正義であり悪であり

しかしこの迷路のような性格は、まさにウルトラマンがまぎれもないミトロジー（神話）思考の産物であることの証《あかし》でもある。ミトロジーの世界には、ストレートな正義も単純な悪も存在しないからである。そういうミトロジーの代表として、日本神話の「スサノオ」のことを考えてみよう。スサノオは極端に幼児性の強い人物で、お姉さんのアマテラスのしている優等生的な行為が、気に入らなかったものだから、それを徹底的に痛めつけてやろうと悪の行為に出た。とうぜん厳しく罰せられることになり、爪を剝がれて天界から地上に追放された。

地上でスサノオは大蛇と闘って、生け贄《にえ》にされそうだった少女を助けた。スサノオが大蛇をやっつけることができたのは、彼自身が大蛇と共通する暴力＝悪の体現者であったからである。そこで逆転が起こる。それまで悪の側にいたスサノオが、大蛇と闘って勝利することによって、正義の側に反転するのである。スサノオは悪でもあれば正義でもあり、むしろ悪の体現者であったことが、正義の存在になる条件を生み出した。

ここにはミトロジー思考の典型が示されている。変わることなき正義の味方などは存在しない。正義はむしろ悪の力を温床として、闇の中で成長をとげ、別の悪の体現者に遭遇するチャンスを得て、正義の存在に反転をとげる。ミトロジーの中では、悪と正義は渾然一体となっている。そこに逆転をもたらす「弁証法」が働くことによって、正義の味方が光の中に浮上してくる。

ウルトラマンと怪獣の関係は、これと同じ弁証法をはらんでいる。ウルトラマンはもともと単純な正義の味方ではなく、悪と渾然一体になった存在であるが、地球に危機をもたらす怪獣や宇宙人が出てきてくれたおかげで、プロレス的格闘をつうじて、すっきりした正義の味方の側に、転がり込むことができた。

## 政治とメディアにミトロジーを

現代の世界にもっとも欠けているのが、このようなウルトラマン的ミトロジー思考である。その欠如は、政治とメディアの世界で著しい。二〇二二年二月に始まったロシアとウクライナの戦争においても、敏捷に動く弁証法の代わりに、硬直化した形式主義が支配している。悪を体現するロシアと竜退治の聖ジョージの闘いという図式が、西側と日本のメディアを覆い尽くしている。またロシアのメディアでは、悪（別名「ネオナチ」）を体現するNATO諸国とそれと闘う正義の皇帝という図式が、支配的である。

ミトロジー思考はこの世に完全な正義などはない、それはいつも悪の原理と弁証法的に一体であると考える点において、現代の形式主義的な政治思考に優っている。ウルトラマンの抱えていた内面の葛藤を思い起こすことが、今必要である。

# 『野生の思考』を読むウルトラマン

## ウルトラマンこの一冊

地球の人間に関心を抱くようになった『シン・ウルトラマン』のウルトラマンは、図書館へでかけて本を読み、人間についてもっとよく知ろうとした。そのとき彼がたくさんある人間関係の本の中から選び出したのが、『野生の思考』という人類学の本だったというので、にわかにこの難しい研究書にたいする関心が高まっている。

この本は一九六〇年代にフランスの人類学者クロード・レヴィ＝ストロースによって書かれた。その頃の西欧では、戦後文化の行き詰まりの中から、ほんもののオルタナティブな思想が求められていて、この本は「構造主義」というキャッチフレーズとともにベストセラーになった。レヴィ＝ストロースは『野生の思考』において、近代文化の主流になってきた人間観を、根底から覆《くつがえ》そうと試みた。近代の西欧世界では、発達した科学と経済によって、それまでにない豊かな社会がつくられてきたという常識が、人々の思考を完全に「洗脳」してきた。

それにたいして、レヴィ＝ストロースは発達の遅れた「未開の社会」と言われてきた低開発世界が、じつに豊かで野生的な思考哲学と、人間的な経済システムを発達させてきた世界であるかを、魅力的な筆致で描き出し、現代人のおごり高ぶった考えに、痛撃を加えたのである。

「人間とは何者か」という疑問を抱えたウルトラマンが、ほかならぬこの本に関心を持ったことは、じつに意味深長である。ウルトラマンは地球にやってきてから多くの人間たちと付き合うようになって、だんだんと人間という生物種のことが好きになりだしていた。彼が付き合ったのは主に「日本人」という極東の島国に住む、やや特殊なところのある人間たちであったが、この人間たちのことを理解するためには、近代西欧人の思考の本質を探究したカントや、未開から近代への進化を理論づけようとしたヘーゲルの著作ではなく、未開人の思考を研究しているこの本こそが、最適であると直感した。これはいったい何を意味しているのか。

## 人間が好き

ウルトラマンが好きになった人間たちは、たしかに現代人として高度な科学技術も操れるし、資本主義の経済活動においても、きわめてエネルギッシュな人々であった。「日本人」と呼ばれるこの人間たちは、見かけだけ見ると、西欧人とほとんどかわらないことをやっている。しかし超文明の栄える宇宙の星からやってきたウルトラマンからすると、地球文明が自慢している程度のことは、そんなに魅力的ではない。

ウルトラマンは日本人の心の中に生き続けている
「野生の思考」の産物として
みごとな出来栄えである
（協力　株式会社円谷プロダクション）

ウルトラマンは日本人の中に、別のチャームポイントが隠されていることに気づいたのである。日本人の中には、西欧的近代のものとは異質な、別種の思考原理が息づいていて、それが彼らに「人間」としての魅力を与えているらしいと感づいていたウルトラマンは、それが何かを知りたくて、図書館の書棚から『野生の思考』を取り出した。

この選択、まさにビンゴ！　である。高度な現代の科学技術を操れて、資本主義の経済システムにもおじけづかない日本人の心の中には、それとはまったく異質な「野生の思考」が生き続けている。そのことが、現代世界の競争を生き抜いている日本人に、弱点と長所とを与えている。

## 日本人と「野生の思考」

弱点と言えば、いやと言うほどたくさんある。いまだに村のモデルにしたがっている社会の作り方、それを拡大した会社の人間関係、政治家と官僚の思考様式の古さ、個人を超えた共同体の力にいつも怯えている心性など。これは「野生の思考」型の社会が、そのまま近代に突入してしまったときに起こりうるちぐはぐな不調和で、これは克服すべき弱点である。

しかし日本人の心の中に、「野生の思考」が生き続けていることがもたらす長所のことも、忘れてはならない。清い心の持ち主であるウルトラマンが好きになった、日本人の心の持つ特質は、むしろそちらのほうにあるからである。

「野生の思考」は人間と自然の間に壁を築かないところに、その特徴を持っている。この点は、人間と自然の間に壁を築くところから、文明を作ってきた西欧とのもっとも大きな違いである。そのため、自然が「怪物的」な猛威をふるってくるときも、そのことで自然に敵対しないのである。ウルトラマンはそのことを多くの怪獣との闘いをとおして知るようになった。子供たちは怪獣にある種の共感を抱いているし、怪獣と死に物狂いの闘いをおこなっている大人たちでさえ、怪獣と自分たちとの内面のつながりを意識している。

その様子を観察しているうちに、ウルトラマンの闘い方もすっかり「野生の思考」型になった。相撲やプロレスのような儀式性が、闘いの前面にあらわれた。人間に敵対してくる自然力を破壊しようとはしない闘い方である。ウルトラマンはこのような非西欧的な思考法を好ましいと思い、人類の一部とはいえ、このような考えをする人間という生物が、好きになった。その思想をウルトラマンが『野生の思考』という本から学んだかどうかは、定かでないが、この宇宙人の抱く地球人への好印象の一因となったことだけは、たしかである。

# オタマトーンの武勲

## スペインでの奇跡

スペインの人気テレビ番組『ゴット・タレント・エスパーニャ』は、スーザン・ボイルを出現させたイギリスの『ブリテンズ・ゴット・タレント』とよく似た新人タレント発掘番組で、その日の予選の何番目かに登場したホワンホ・モンセラートという若者が、ラフな格好で登場したときも、会場の注目を浴びるような目立ったところはまるでなかった。

しかしホワンホ青年がマイクをいじって、自分のお腹のあたりまで下げ始めると、場内はざわつきだした。「お腹で歌うの?」「そんな馬鹿な」と人々がささやきあっていると、青年はお尻のポケットから奇妙なものを取り出した。どうやら楽器らしい。変な形をしていて、下のほうには漫画のような顔までついている。

青年はプッチーニの名曲『トゥーランドット』のアリア『誰も寝てはならぬ』を演奏しますと言って、この小さな奇妙な楽器を、お腹のあたりでいじり始めた。楽器が高い音調で歌い始めたとたん、会場も審査員も胸をわしづかみされたように驚き、すぐにそれは感動の嵐に変わっていった。音符の形をしたその珍妙な楽器から、えもいわれぬ美しいメロディが流れてきたからだ。

おかしいやら感激したやらで、涙を拭きながら、審査員の一人が聞く。「それはなんという楽器なの?」。青年が答える。「これはオタマトーネという日本の楽器で、東京へツアー旅行したときのお土産です。こう見えてもぼくはミュージシャンなんですよ」

これが日本の明和電機の発明した電子楽器「オタマトーン」が、ヨーロッパで大人気となるきっかけをつくった瞬間であった。この番組のユーチューブ動画を見た多くの人たちが、すぐにネット注文に走った。スペインの地でまさかの奇跡が起こったのである。明和電機はこれまでにも、いくつものユニークな電子製品を世に送り出してきた面白い会社だが、オタマトーンへの世界の関心の高まりには格別なものがある。

西洋音楽の楽譜が輸入されて、「音符」というものを目にしたとき、日本人はすぐさまそれを「おたまじゃくし」と呼び始めたようである。音符記号を幼年時代のカエルに見立てるという発想は、西洋音楽史にはついぞ生まれなかった。

## 音楽は自然につながっている

音楽が自然界の動植物をも感じ入らせる力を持っているというミトロジーは、ギリシャの有名なオルフェウス神話によっても知られているが、日本人の場合は、音楽そのものがまったく即物

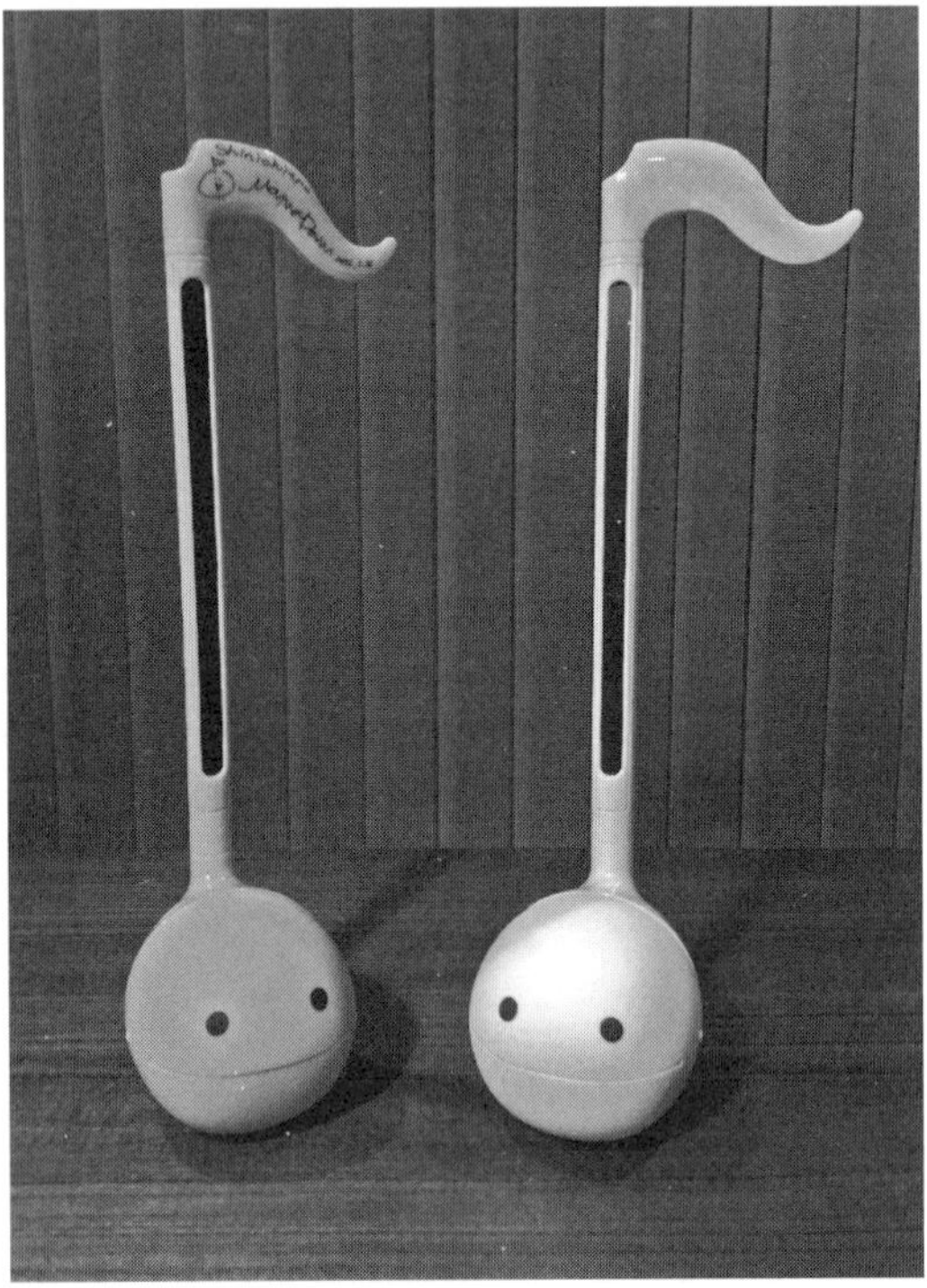

技術は人間と自然の媒介者であって、
自然の抑圧者などではない。
日本の技術はこのことを忘れないかぎり、
未来にそのユニークな地位を失わない
（写真のオタマトーンは筆者蔵）

的に、自然界につながってしまっている。ここでは音楽は文字どおり、おたまじゃくしによって奏でられる現象であり、音楽は文化現象というよりも、からだの半分が自然に埋め込まれている「半人-半獣」の現象である。

オタマトーンはこの思考法をさらに深化させた。楽器自体がおたまじゃくしであり、このおたまじゃくしの首を撫でながら音階を操作し、口から音楽を歌わせるのである。つぶらな瞳は音楽の聴者をみつめ、かわいらしい口を開かせると、音の強弱に変化をつけることもできる。

これで例えばプッチーニを歌わせるのである。音楽は情感（アフェクトゥス）と知性（インテレクト）の結合から生まれる。おたまじゃくしの首を押したり撫でたりしながら、音階を操作するのが、音楽の知性の部分であるとすると、自然力の化身であるカエルの子の歌い上げるアリアは、聴くものの情感を揺さぶってやまない。

音楽は、人間と自然をつなぎ媒介する技術の一つである。そのことを日本人は、三味線や尺八による情感たっぷりの伝統音楽によって、心の底で理解していた。明治の文明開化になって西洋音楽を知ることになった日本人は、合理的な記譜法で記された近代の音楽を体験するようになっても、音符におたまじゃくしを見て音楽と自然の深いつながりを感知し、音楽を鑑賞しては自然のふところ深くに埋め込まれた自分を発見してきた。オタマトーンは、そういう音楽哲学を背景にして生まれてきた、きわめて日本的な技術作品である。

もっともオタマトーンをただのおもちゃと言ってしまえば、それだけの話で、これまで語ってきたことなども、冗談みたいになってしまうだろう。しかし私には、オタマトーンが立ててきたお手柄の中には、日本の技術の未来にとって大切な、いくつもの教訓が含まれているように思えるのだ。

## オタマトーンの教訓

外国の人たちをいちばん喜ばせたのは、少しも真面目そうでない、こんな「半人－半獣」の漫画みたいな楽器が、クラシックの名曲をみごとに奏でて見せたことにある。音楽はもともと人間界と自然界の中間領域で生まれ奏でられるものなのに、西欧ではそれをあまり動物性を感じさせない、いかにも生真面目な格好をした楽器がおこなう。ところが日本の技術者は、音楽の本質は「半人－半獣」性にあると言わんばかりに、おたまじゃくしに演奏をゆだねるのだ。

オタマトーンには、技術は人間と自然をつなぐものであり、人間が自然を制圧したり管理したりするためにあるのではない、という日本的な技術思想が籠められている。この思想は、今後の世界でますます重要性を増してくるにちがいない。この珍妙な電子楽器は、そのことをさりげなく世界に伝えようとしている。

# 宇宙犬ライカ

## 野良犬が宇宙へ出た！

二十世紀を代表する最高の神話的動物は、地球生物としてはじめて宇宙空間へ出た、一匹の小型雑種犬である。名前を「ライカ」というが、もとはモスクワの街をほっつき歩いていた野良犬である。

ソビエト（ロシア）は人類初の人工衛星スプートニク一号の打ち上げに成功したあと、早くもスプートニク二号に犬を搭乗させるという大胆な計画を立てた。この計画を実現するためには、宇宙犬の候補となるべく、たくさんの健康な犬たちを集めなければならなかった。その目的のために、モスクワを徘徊していた野良犬たちに、白羽の矢が立てられた。

野良犬捕獲作戦が開始され、収容施設には何十匹もの野良犬たちが狩り集められてきた。その中に、メスの「ライカ」が含まれていたのである。犬たちは訓練施設に移され、すぐに宇宙犬になるための厳しい訓練が始まった。

ロケット打ち上げ時のすさまじい加重力に耐えるために、遠心力装置に振り回されてフラフラにさせられたり、身体中に計器を埋め込まれる手術を受けたりと、さんざんな思いをさせられた末に、ライカが選ばれることになった。

ライカは当時の粗末な宇宙服を着せられ、狭い船室に閉じ込められて、打ち上げられた。ライカは無事に宇宙空間に出たものの、ほどなくして絶命した。打ち上げ時のすさまじい衝撃と高熱に、彼女の生命は耐えることができなかった。もっとも初めからライカの回収は予定になかった計画であるから、こういう最期が彼女にとっては、むしろ幸福であったかもしれない（などと、当時子供であった私は、泣きじゃくりながら考えた）。

## 犬と猿

一九五〇年代の後半、宇宙開発競争にしのぎを削っていたソビエトとアメリカは、人間を宇宙に送り出すための前段階として、動物を宇宙空間に打ち上げることに、重大な意義を与えていた。そのときソビエトは犬を選んだ。これにたいしてアメリカは猿（チンパンジー）を選んだ。この選択の違いには、両国民におけるミトロジー的思考の質の違いが、あからさまに示されている。

このとき宇宙で死んだライカが、二十世紀最高の神話的動物になったのにたいして、アメリカの猿のことは、せっかく地上に帰還できたにもかかわらず、その後たいした話題にもされなかった。なぜか。犬と猿とでは、人間のミトロジー的思考への意味作用が、正反対の向きを向いてい

ライカは我慢強かっただけではなく、
じつに写真映えのする犬であったことも、
初の宇宙犬に選ばれた理由の一つである。
そのような犬は英雄的でどこか孤高で
寂しい面影を漂わせている必要があった

るからである。宇宙空間へ出て行く犬は、ミトロジーの想像力を掻き立てる。ところが猿にはその能力がない。このことを詩人の国ロシアの科学者たちは、鋭く直感していた。

犬は人間とは似ていない動物だが、人間といっしょにあるいは近くで生活して、かなりな程度のコミュニケーションが可能である。このような関係を、言語学では「換喩《かんゆ》（メトニミー）」という。似ていないけれども近くにいて一心同体のような存在を、換喩的というのである。これにたいして、猿は人間にきわめてよく似た動物である。猿の生活圏は人間から離れているが、群れの社会生活は人間とよく似ている。猿は人間の映し鏡である。このような関係を、言語学では「隠喩（メタファー）」という。

長いこと、人間は犬といっしょに狩猟をおこなっていたという歴史がある。とくにロシアではその記憶はいまでも鮮明だ。人間の猟師の先に立って、猟犬は獲物を追って、藪をかき分けて進んでいく。このとき人間と犬の関係は、ヨットとその帆の関係によく似た換喩の関係にある。これから人間が行おうとしている事業を、犬は人間の換喩として、先に立って実行するアヴァンギャルドの役目を果たすことができる。

ところが人間の隠喩である猿には、その能力がない。ミトロジー的思考にとって、人間の隠喩である猿が、人間の先に立って進むアヴァンギャルドとなることは、考えられない。じっさいそのチンパンジーは、加重力に怒って、着装されたコード類を飛行中めちゃめちゃに引きちぎり、観測を台無しにしてしまった。

換喩の動物である犬だからこそ、宇宙へ出て行く生物としての意味作用を担うことができたのである。そこには旧石器の狩猟時代にまでさかのぼる、遠いミトロジーの記憶が内蔵されている。そのころのロシアの宇宙開発には、このようなミトロジー的思考が、まだ活き活きと活動していた。

## 永遠回帰するライカ

ライカが宇宙空間で静かな眠りについてから、すでに六十年以上がたつというのに、彼女をめぐるミトロジーの生命はいまだに衰えをしらない。世界中で、ライカが登場するいくたの物語が創造され、何本もの映画が製作されてきた。

つい最近の日本でも、ドイツとオーストリアの若い映画作家たちによって撮られた、新感覚のドキュメンタリー映画『犬は歌わない』が上映された。* その映画が背景としているのは、宇宙で亡くなったライカの霊が地上に舞い戻り、モスクワをさまよう野良犬に生まれ変わっているという、現代の都市伝説である。モスクワの野良犬たちは、いまもライカのことを誇りにしていて、こう語り合っているという。

「宇宙にはじめて出て行った生物は、俺たちのご先祖様なんだぜ」

＊『犬は歌わない』（原題は『Space Dogs』）はシアター・イメージフォーラム他にて２０２１年6月12日より上映された

# ベイブvs.オリンピッグ

## ミトロジー的豚

動物と人間のコミュニケーションは、神話（ミトロジー）最大のテーマである。私たちはペット動物を別にして、人間が動物から切り離されているのを常態として生きているが、ミトロジーはその反対に、動物と人間はもともと同じ存在であると考えている。ミトロジーの時空では、会話もできれば恋もする、同じ仲間だったのである。それがなにかの原因で、突然両者のコミュニケーションが途絶してしまった。そのとき崩れ落ちた橋を修繕して、お互いの間にもう一度通路を開こうというのが、ミトロジーの目的である。

そういうミトロジーは、現代でもさまざまに形を変えて、なんどもよみがえってくる。アニメの世界では、人間と動物の自在な交通は昔から常識である。実写映画でもCGを使って、人間のように話のできる動物が登場してくる。しかしそういう「動物映画」の中で、もっとも深い哲学と愛を持った作品として、オーストラリアのジョージ・ミラーの製作した『ベイブ』の右に出るものはない。

ベイブは賢くかわいらしい子豚である。ホゲットおじさんの牧場で楽しく暮らしていたベイブは、ひょんなことから羊の世話をする「牧羊豚」の才能を見出される。はじめは子豚のことなどバカにしていた羊たちも、しだいにベイブの賢さや思いやりに心を動かされるようになり、とうとう町で開催される「牧羊犬」コンテストで優勝して、一躍人気スターになるのだった。村中が喜びにはじけた。途絶していたコミュニケーションが回復されたのである。

豚はたんに人間に食べられる存在ではない。豚の知性は高く、その性質は気高い。その知性をとおして、豚は自然や世界と交信している。そのことがコミュニケーションの途絶した状態では、人間には見えないのだ。神話は世界との失われたコミュニケーションを回復するために語られる、「おとぎ話」である。しかし人間はこういうおとぎ話なしでは、宇宙の中で孤立した、さみしい存在のままである。誠実な子豚が、人間をそこから救いだしてくれたのである。

それならば、しゃべる犬のお父さんの登場するCMが、もう何年も人気を博している日本では、さぞかし愛にみちたミトロジー思考が盛んなのかと思いきや、そこには荒涼たる不毛の大地が広がっているのだった。

## 反ミトロジー的犬

このCMでしゃべる犬は、白戸家という人間の一家の父親で、日本人の妻との間にはアフリカ

豚の賢さ、気高さを知らない人間だけが、
その体つきを笑ったりする。
ベイブはそういう人間の無知を優しく叱っている
（写真は映画『ベイブ』より）

系の息子が生まれている。おそらくCMディレクターは、この不条理な取り合わせに、彼なりのポエジーを感じたのだろう。「手術台の上のミシンとコウモリ傘の出会い！」というわけである。*しかしじっさいには、そこにはポエジーもなければ、愛も流れていない。家族全員がそれぞれポツンと孤立しているように感じるのだ。

ほんもののミトロジーでは、登場人物（動物）は自分を覆っている殻を破って、相手の存在の中に流れ込んでいくものである。ところがこのCMでは、全員が記号の殻に覆われたまま、自分の中に閉じ籠もっている。そのために、犬に犬の内面がなく、どんなに人間とおしゃべりしているように見せても、異質なもの同士の間にコミュニケーションが発生しているとは感じられない。

ようするにこのCMでは、諸存在の間につながりを回復する、ミトロジーに特有の作用が起こっていない。それどころか、見かけは善良なミトロジーを装っていながら、じっさいは善なる力の発動を封殺してしまっている。コミュニケーションのための道具を売る会社のCMが、「おしゃべりをしてもじつは何も伝わっていない」というメッセージを伝えているのである。まさにこれこそ、現代日本の精神状況を見事に表現した、反ミトロジー的な作品と言えよう。

この反ミトロジー的なCMディレクターが、豚でつまずいた。「オリンピッグ」などという悪ふざけを思いついたために、自分にめぐってきたせっかくの幸運を潰してしまった。比喩が躍動して、異なる存在の間に通路が開かれ、愛の流動が生まれるためには、弁証法が必要であるが、この発想には残念ながら弁証法がまったく欠如している。そのために、女性タレントの容姿と豚の体つきが、直喩的にベタに重ねられてしまい、ジェンダー平等が盛んに論じられている社会で、袋叩きにあうことになった。

## お笑いを超えて

現代ではみんなが孤独である。そのためたとえ家族の一員に動物が混ざりこんでいたり、工事現場に一人の宇宙人が混じっていても、その状況の異様さに誰も気づかない。そういう世界では、他者を巻き込んでつないでいく弁証法は、ほとんど機能していない。だからある意味で、このCMディレクターの作品は、現在の社会と家族の置かれている状況を、素直に表現しているとも言える。

こういう状況に、お笑いもCMもあきらめを感じて、ただその状況をなぞっているだけに見えるのだが、ミトロジーはその動かない状況を動かす力を秘めている。豚というならベイブのことを思い起こそう。お笑いとCMの彼方にこそ、未来はある。

＊ロートレアモン『マルドロールの歌』（現代思潮社）

# 近代オリンピックの終焉

## 理念たちの運命

「パンデミック禍のいま、オリンピック・パラリンピックをどうしても開催しなければならないことの意義について、お聞かせください」。記者団にこう問われた首相をはじめとする閣僚たちは、誰もその問いに正面から答えることができない。

「意義」という言葉で記者たちは、「理念」にかかわる答えを期待している。ところが閣僚たちの頭には、理念にかかわるような、どんな言葉も浮かんでこない。そもそも、オリンピックに経済的メリット以外の、どんな理念がかかわっているというのか。それにいまどき、聞き古された「オリンピックの理念」などを語ったところで、笑いものにされるのがおちである。それほどに、現在のオリンピックは理念的なものとは無縁の、ただの巨大な上演物になりさがっている。

しかしオリンピックだけを責めるのは、酷というものであろう。二十世紀は「世界平和」や「コミュニズム」といった、さまざまな理念によって突き動かされてきた。オリンピックもそういう理念的な企ての一環であった。そうした理念のすべては、十九世紀後半の西欧に、「近代《モダン》」思想を象徴するものとして生まれたものだが、それから百数十年がたって、それら理念のほとんどすべてが、賞味期限切れになるか、無効を宣告されている。

## 資本の世紀

そういう意味で、オリンピックは十九世紀後半の西欧に生まれた、近代という時代の精神を表現する理念の一つなのである。現代人がその理念にリアリティも感じなくなっているとするならば、これはかつてその理念を下支えしていた世界構造が変容してしまっていることを、意味している。

コミュニズムやオリンピックや万国博覧会などのような、華々しい理念を掲げた企てが、次々に立ち上げられた十九世紀の後半は、資本主義の爆発的な発達が起こった時代である。それを準備したのは科学技術の急激な発達である。欧州には近代的な労働者が大量に出現し、大小の国民国家が続々と生まれていた。*

人間の思想によって、世界は変えることができると、多くの人が実感するようになった。ダーウィンの「進化論」があきらかにしたように、生物界は進化をとげてきた。それならば人間だっていまある人間以上の存在に進化できるはずではないか。資本主義の発達は、さまざまな領域で、人間とその社会を進化させるための企てを発生させることになった。

オリンピックとコミュニズムはいとこどうしである。
生みの親はどちらも欧州の資本主義であり、
どちらも最後はその親に食われた
（写真は1896年の第１回アテネ五輪）

マルクスの『資本論』が書かれ、労働者の運動に指針を与えると同時に、資本主義の先に出現するはずの、より進化した社会であるコミュニズムの可能性が、語られるようになった。コミュニズムはまだ実現されていないから、一つの「理念」にすぎない。資本主義の発達が、資本主義そのものの乗り越えをめざす、コミュニズムの理念を生んだと言える。

国民国家というものも、資本主義の産物である。欧州にそれが生まれた近代のはじめ頃には、国民国家は多くの矛盾と動揺をかかえていた。国家どうしいつ戦争が勃発してもおかしくはない、緊張した関係をかろうじて保っていた。国境地帯のこぜりあいが頻発し、国家間戦争も多発していた。

## 貴族と商人

そこに登場してきたのが、「オリンピック」の理念である。欧州の国民国家は、じっさい古代ギリシャの部族国家と、よく似たつくりをしていた。ギリシャでも国家どうしよく戦争をしていたが、「オリンピア祭」という祭りを開催することで、戦争の合間の平和をつくりだし、殺し合いのかわりにスポーツ競技で争うことにした。

それに学んで、「近代オリンピック」が企てられた。それは資本主義の発達が生み出した国民国家のかかえる矛盾を解決しようとして生まれた、理念的な企画である。オリンピックによって、戦争がなくなったりはしない。しかしこの祭典の最中は、対立や矛盾を停止できる。オリンピックもまた自分なりのやり方で、資本主義の矛盾の解決に取り組んでいた。

　近代オリンピックは、資本主義にたいして貴族的なよそよそしい態度を保つことで、一定の距離を保とうとしてきた。アマチュアリズムの競技会に、商人の論理は入ってこれないというのが、その建て前であった。そうやってかろうじて、その理念性と批判性が維持されてきた。

　ところがその近代オリンピックが、しだいに商人的論理に屈服して変質しはじめた。莫大なテレビ放映権料がＩＯＣに転がり込むようになった。＊＊これを境に、近代オリンピックは資本主義との距離を保つことが、不可能になっていった。それどころか、オリンピックじたいが、現代のスペクタクル文明の代表者となってしまった。貴族性を捨てて、商人的論理を内部に迎え入れたことによって、オリンピックという理念的な企ては、終焉へ向かって走り出した。

　コミュニズムに比べれば、まだましな最期だと言えるかもしれないが、近代の偉大な企てが、こうしてまた一つ、終焉に近づいている。オリンピックはこれからも続いていくだろうが、それはもう魂を失った亡骸《なきがら》にすぎない。もうこうなったら、我々はポストモダンで貴族的な、別のオリンピックでも探すほかなくなってしまった。

＊Ｅ．Ｊ．ホブズボーム『資本の時代』（みすず書房）
＊＊一九八四年のロスアンジェルス大会がその曲がり角と言われている

# M氏の宇宙飛行

## 宇宙飛行のミトロジー

かつて宇宙飛行には思想があった。宇宙飛行の思想的意義を最初に考えたのは、十九世紀のロシアの思想家フョードロフである。フョードロフは、人間は不死になることで神のような存在になる、と考えた。人間は短命で、一人の人間が得た体験や知識は、死とともに消えていき、次世代にすべてを伝達できない。だから進化ができない。不死になることによって初めて、人間は真の進化にとりかかることができると彼は考え、それを実現するための新しい技術の開発が必要であるとみた。そうした技術の一つとして、宇宙飛行が考えられたのである。

一生を貧しい博物館員として生きたフョードロフには、トルストイやドストエフスキーをはじめとして、全ロシアに熱心な弟子やファンがいた。そのなかにツィオルコフスキーという若者がいた。彼は師の語っていた宇宙飛行を実現してみようと決意した。彼は地球の重力圏からの脱出速度を計算して、それを可能にするためのロケットの設計をおこない、さらには宇宙空間へ出た人間が生活するための宇宙船を構想した。

ツィオルコフスキーは宇宙船を、フョードロフ思想の科学的な実験装置にしようとした。人間は地球という惑星で特殊進化をとげたため、重力の影響下で直立歩行をおこない、左脳と右脳の機能が平等でなくなって、感性と理性の統一がとれなくなっている。そこで人間を宇宙船に乗せて、無重力の状態で数世代も生活させることを、思いついた。そうやって脳構造や身体機能にバランスを取り戻すことによって、人間をより進化した生物に変容させることが可能ではないか、と思いついたのである。

こういうツィオルコフスキーの思想は、ロシア革命直後の若い科学青年たちに熱烈に受け継がれた。彼らはツィオルコフスキーから学んだ宇宙飛行思想を実現するための、ロシア独自のロケット研究に乗り出していった。そういう若者たちのなかには、のちにスプートニクから月ロケットまでのソ連の宇宙開発を牽引することになる技術者、セルゲイ・コロリョフなどがいた。彼らは宇宙開発をたんなる技術の問題と考えていたのではなく、人類の思想の重要問題に関わるものと理解していた。

## 創造性から還元主義へ

ロケットや宇宙船の開発には、莫大な費用がかかる。東西冷戦下のソ連で、政治家や軍人たちは宇宙開発に政治的・軍事的な意味しか見ていなかったから、技術者の尻を叩いて開発に邁進さ

宇宙もお金に換算できる
ただの空間であることを証明するために、
M氏は大金を投じてこの飛行に挑んだ。
夢の実現とは夢の破壊を意味するのか
（ISS　NASA）

せたのだが、当の技術者たちの心のなかには、フョードロフ以来の、「人間は進化できる」というロシア特有のミトロジー的な思想が、ひそかに生き続けていたのである。

しかしこういう思想は、宇宙開発競争のなかで、しだいに見失われていった。ロシア的な宇宙思想からすると、地球の重力圏を脱して宇宙へ出るということは、人間がそれまで生きてきた世界を脱して、未知の領域に踏み込んでいくことを意味する。そこで人間が自分の能力を拡張して、新しい存在に生まれ変わっていくことが、宇宙開発の意義だと考えられてきたのだが、時間が経つにつれて、別の考えが支配的になってきた。

この別の考えによると、宇宙開発とは未知だった領域を既知の世界に回収していくことであり、そこで人間は新しい存在に生成していくのではなく、元の人間のままで、未知だった領域を自分のよく知っている世界に組み込んでしまうのが、宇宙へ出ることの意味だと理解されるようになった。初期には、「創造的」であることをめざしていた宇宙開発は、しだいに未知を既知のなかに引き戻していく「還元主義」の行為に変容してしまった。

## 虎になる

そのことを象徴しているのが、二〇二一年十二月に日本人M氏がおこなった宇宙飛行である。M氏は民間の起業家であり、大金を積んでソユーズ宇宙船に乗り込む「快挙」をなしとげた。宇宙からM氏は「望んだ夢はなんでも実現できる」ことを証明して、若者たちに自分と同じような成功者になるのも夢ではないことを伝えたいと語った。

M氏は宇宙飛行でなにかが変わることを望んだのではなく、むしろなにも変わらないことを望んだ。彼が望んだ夢とは、未知の領域を開くことではなく、お金で実現できないことはないという、地球の起業家たちの「哲学」を、宇宙空間にまで拡大していくことである。

これまでは、地球上の現実の改変に精を出してきた「マトリックス」*が、いまや宇宙空間にまでその魔手を伸ばしていることを、M氏の宇宙飛行は証明している。マトリックスは見るからに陳腐な存在をエージェントとして、人間の世界に送り込んでくる。「スミス」ならぬM氏のたずまいを見て、軽い冷笑でやりすごしてきた人間たちも、知らぬ間にマトリックスに飲み込まれている。夢も創造性も飲み込まれて、あとには既知の世界の機械的反復とその拡張（それの名前がなんと「シンギュラリティ」である）が続けられる。

マトリックスがあたりに張り巡らしている、幻影のカーテンを引き裂く「虎」に、私たちはなりたいと思う。虎の年を境に、世界に回天が起こらんことを！

＊言うまでもなくウォシャウスキー兄弟（現在は姉妹）が監督したSF映画『マトリックス』に登場する知的存在。マトリックスは世界に遍在している

# 成長のミトロジー

## ビル・ゲイツ氏の決心

二〇二一年五月、マイクロソフト創業者のビル・ゲイツ氏が、長年連れ添った夫人との離婚を発表したが、その理由に、これ以上いっしょにいてもお互いが成長できないから、とあったのには、さすがは資本主義の申し子と、あきれながらも感心した。彼にとっては、あらゆるものが「成長」しなければならないのである。

会社は成長しなければならない。資産も成長していかなければならない。それと同じように、愛も成長しなければならない。いやまて、その歳になったら、愛は成長するのではなく、成熟していくものだろう。しかし永遠の青年のようなこのビジネスマンにとっては、成熟は死に近づいていく呪いの言葉として、遠ざけておかなければならないタブーで、究極的に手に入れたいものは、永遠の生命とどこまでも続く成長にほかならないようだ。

ここにはからずも吐露されているように、「成長のミトロジー」こそは、資本主義の励起剤《れいきざい》である。そもそも増えていくお金のことを資本と言う。成長していくものでなければ、この社会では価値を持たない。資本主義社会のすみずみまで、この成長のミトロジーが浸潤している。

成長するものは、空間に広がっていく。それにたいして、成熟するものは、自分の内側にたくさんの襞《ひだ》をつくって、小さくなっていく。それゆえ、ビル・ゲイツ氏は愛でさえ、成熟して縮んでいくのではなく、さらなる成長をめざし拡大していくことのほうをめざした。こうして経済の領域の比喩が、愛の領域の比喩へと転移をとげて、資本主義の社会に生きている私たちの人生にかかわる思考までをも、決定していく。

## 最強のミトロジー

世界中の神話（ミトロジー）の多くは、あまりに古い時代から語られていたので、起源すらわからない。しかしこの「成長のミトロジー」に関しては、その起源がはっきりしている。一万年ほど前の中近東で起こった「農業革命」とともに、人類の脳に成長の主題が組み込まれたのである。

農業革命によって、人類は動物や植物の生存をコントロールして、自然の富を増やしていく技術を開発した。それまでは狩猟民として、自然の循環のプロセスに頼って生きていたので、富が増殖していくものだとは考えたこともなかった。それが農業の始まりによって、大地に蒔《ま》いた種は何倍にも増え、富は増えて戻ってくることを知った。

増殖原理がセットされた私たちの脳は、
森羅万象を「成長」の観点からとらえる
人間類型をつくりだした
（写真はビル・ゲイツ氏とメリンダ元夫人）

このとき成長のミトロジーの原型が生まれた。以来数千年もかけて、このミトロジーは確実な発達をとげていき、ついに近世のヨーロッパに、究極の増殖世界の実現をめざす「資本主義革命」を起こした。いまや、人類の脳は、成長し増殖する世界をあたりまえのものとして思考する、増殖脳という強力なフィルターをとおして、世界を認識している。そのため、経済成長や資本増殖が地球環境を脅《おびや》かしている現実を前にしながらも、私たちはＳＤＧｓなどを言い訳にして、成長のミトロジーの呪縛そのものからは、自由になることができないでいる。

## ダイモンの「声」

農業革命が最初に進行していたメソポタミアやエジプトでは、そのころ増殖脳に改造されつつあった人類が、世界をどんな風につくり変えつつあったのかを示す、たくさんの状況証拠が残されている。一言で言えば、そのころ人類は「耳」が聞こえなくなり始めていた。*

それまで人類の耳は、心の内面から語りかけてくる、繊細微妙な「声」を聞き取ることができた。この声は、意識の外から語りかけてきて、人生の重大事についての決定を人におこなわせる。その声にしたがっていると、まちがった道に踏み込まないですむ。それというのも、その声が、意識よりもはるかに巨大な情報体（クラウド）から送られてくるものなので、ものごとの道理から外れないでいられるのである。この声は、繊細微妙で聞き取りにくいが、子供のような澄んだ心にしていると、誰の耳にも聞こえるようになる。

この声の主は、いろいろな名前で呼ばれたが、中でも有名なのは古代ギリシャ人による「ダイモン（デーモン）」という呼び名だ。あのソクラテスでさえ、真理を求める哲学者はダイモンの声に耳を傾けよ、と弟子たちに教えている。ダイモンの声は自然のうちに充満している。その声を聞き取れる人たちが、当時はまだたくさんいた。

そのダイモンの声が、農業革命とともに、聞き取りにくくなった。それに代わって世界には、王たちの発する大声が充満した。王たちの最大の関心事は、自分たちの富と力が増大していくことであった。つまり成長である。その王の代理人として登場したのが、巨大な姿をした神々による宗教で、この宗教が繊細微妙なダイモンの声をかき消してしまった。

それ以来、増殖脳がセットされるようになった。この脳はしじゅう世界が成長していくことを、人類に強いるようになる。私たちの資本主義は、その果てに出現した、もっとも騒々しい増殖原理の申し子である。成長のミトロジーの呪縛から解かれることの難しさは、ここに潜んでいる。それは脳の奥深くにセットされているのであるから、つぎの「革命」の主戦場は、社会ではなく、私たちの脳となるだろう。

＊ジュリアン・ジェインズ『神々の沈黙　意識の誕生と文明の興亡』（紀伊國屋書店）

# 惑星的マルクス

## 『資本論』は使える

ヨーロッパを中心に、若い世代の間にマルクスへの関心が高まっているというのは、ほんとうの話である。旧来の左翼とは関係を持たない、やり場のない気持ちを抱いた若者たちが、自分たちを取り囲む世界への疑問や怒りから、マルクスの思想を再発見しつつある。現代世界のひどさの原因を理解して、それを変えていこうとするのに、『資本論』という本はけっこう使える、という感じで、イデオロギー抜きにして、むしろプラグマティックに読まれだしている。

百五十年以上も前に書かれた『資本論』が、まるで現代思想のようによみがえっているのは、このところの世界をひっかきまわしてきた、経済における新自由主義のせいである。せっかく資本主義が新しいフェーズに入るかもしれないという予感をもって、人々がポストモダンの幻想を語り出していた頃*、それを押しのけて新自由主義が世界中に蔓延して、資本主義を古い思想に引き戻してしまった。

そのおかげで、資本主義の抱える根源的な矛盾が、かつてない規模と激しさをもって、世界中で再び露わになってきてしまった。すると、マルクスが第二次産業革命期の古風な資本主義を素材にして考えぬいていた多くの事柄が、ほとんどそのままの形で現代資本主義の解明にあてはまってしまうという、考えてみれば情けない事態がもたらされたのである。

## 我ら皆プロレタリア

マルクスが『資本論』を書いていた頃に比べると、そののち資本主義は驚くべき発達と進化をとげた。この進化は主として技術の発達によっている。当然マルクスの知りえなかった現実もたくさんある。しかしそこで変わらなかったものが一つある。それは資本主義の発達によって、世界中のあらゆるものが「プロレタリア化」するという法則である。

第一次産業革命にあたって、まず必要とされたのは、農民や職人がプロレタリア化することによって、産業労働者になるというシナリオであった。農民や職人はさまざまな生きるための知識とノウハウを身につけた人間であった。彼らはその知識とノウハウを使って、自然とのコミュニケーションと代謝をおこなっていた。この人々が故郷の村を捨てて都市に出て、産業のための労働者になっていった。

労働者は工場で、商品の製造工程のきまった部署の仕事を担当させられたから、農民や職人だった頃に比べると、格段に労働は単純化し均質化した。彼らはしだいに、生きるための知識やノ

「惑星的マルクス」計画を、
聖書や大乗仏典の結集事業に喩えることができる。
それは中央集権的なGAFA流のやり方を
排しておこなわれるであろう

ウハウの多くを失っていった。この喪失のプロセスの全体を、マルクスは労働者のプロレタリア化（貧困化）と呼んだのだった。

それと並行して、自然そのもののプロレタリア化が進行した。それまで人間に豊かな富を与えてくれていた自然は、資本主義にとっては利潤を得るための原材料になってしまう。畑の農作物からの収益を上げていくために、乱開発や農薬汚染も進行する。こうして自然は資本主義とともにプロレタリア化されていった。今日の気候変動はそのことの直接的な表現である。

消費者もプロレタリア化する。お金で買えるものは、似たり寄ったりの商品（コモディティ）ばかりなのに、広告に促されてふらふらと買ってしまう。それが自分のほんとうの欲望の対象かというと、そうでもない。そのためどんな商品を手に入れても、欲望は満たされることがない。商品を消費すればするほど、物は増えるが暮らしの中身は貧しくなっていく。

## 市場から地球へ

マルクスは、資本主義がそうやって世界をプロレタリア化していく未来を予測していた。資本主義は豊かな物質的世界をつくることをめざしてきたが、じっさいにできていくのは「プロレタリア化された世界」である。こういう現実を、資本主義はできるだけ隠しておこうとした。それなのにそれを新自由主義がむきだしにさらけだしてしまった。おかげで、人類はまたマルクスのことを思い出すようになったのである。

資本主義を劣化させたと言える新自由主義は、市場のメカニズムによって、地球上のあらゆる事物・出来事・生の事実を、包摂し制御することを考えた。市場を動かしている原理は、単調な合理主義であるから、この原理に触れたものは、たちまち生気を失ってくる。現代ではそこにAI技術が結びついて、もはや人間の理性では制御するのが難しい、正確に計算され高速度で動いていく仮想現実が、人間の生を覆うようになっている。

私たちの世界は、新しいマルクスを求めている。AIによる第四次産業革命期にある資本主義のすべてを解明する、新しい『資本論』が書かれなければならないのである。資本は市場から生まれる。その市場は人間の脳がつくったものだが、その脳は自然の生みだしたものであり、自然は地球が産出したものだ。そんなちっぽけな市場原理が、地球上に存在するすべての生命と非生命を覆い尽くそうとすれば、先には確実に破滅が待っている。

新しい『資本論』は、一人のマルクスによってはつくれない。たくさんの知性をブロックチェーン化されたネットワークで結合することによって、はじめてそれは可能になる。ゲノム計画が成功裡に終了したあと、人類が取り組むべきは「惑星的マルクス」計画である。

＊ジャン・ボードリヤールが『象徴交換と死』（ちくま学芸文庫）を書いた一九七六年頃が「その頃」であり、幻想のポストモダンの舞台の一つはなんと日本であった

# II

# シティ・ポップの底力

## 蓄積と消費

二〇二二年六月、ＢＴＳが活動を休止すると発表した。そのときのメンバーの素直な告白を聞いていると、世界のマーケットを舞台とする音楽産業が、若いアーティストの才能を消費していく、その消耗戦のすさまじさに怖さを感じた。これではビリー・アイリッシュにせよジャスティン・ビーバーにせよ、どんなに豊かな才能に恵まれたアーティストでも、数年もたたないうちにやせ細ってしまう。

とりわけＢＴＳの場合は、ポップス産業の歴史の浅い韓国から飛び立って、垂直離着陸戦闘機ハリアーのように、いっきにアメリカの音楽市場に打って出て、大成功をおさめたが、『Ｂｕｔｔｅｒ』あたりから、しだいに音楽としての厚みの足りなさのようなものが、露呈してきているように、私には感じられた。もちろん韓国には豊かな音楽的土壌がある。その豊かさはしばしば日本のそれをしのいでいる。しかしその土壌と現代とをつないで、クッションの働きをするべき厚みのある「媒介空間」が、そこには欠けているように、感じられたのである。

媒介の働きをするその「空間」とは、今日「シティ・ポップ」と呼ばれている、ポストモダンな都市感覚でつくられた仮想空間である。その仮想空間は、一九七〇年代から八〇年代にかけて、おもに東京に集まっていた若者たちによってつくられた。

彼らは、こういう感覚でつくられた都市を生き、その中で恋をし、グループしたいなどと想像しながら、とりあえず音楽でそういう空間を先取りしようとした。彼らがつくった音楽の仮想空間を、当時の日本人は自分たちがいまつくりつつある都市の感覚をうまく表現していると感じて、おおいに気に入った。そしてその後もその感覚の仮想空間は、厚い層のようになって、文化的財産として心の中に蓄積されてきた。

それが現在、アメリカや韓国の若者に注目されはじめ、山下達郎や大貫妙子の静かなブームとなっている。そこに現在もまだ実現されていない、理想のポストモダン都市の感覚表現が歌われているからである。

## ガラパゴスなシティ・ポップ

シティ・ポップは、アメリカから発信される世界規模の音楽潮流と、ガラパゴス的な日本人の感覚文化の融合としてつくられている。一九六〇年代のカウンター・カルチャーによって激変していったアメリカの新しい音楽に夢中になった日本の若者たちが、コピーの段階を超えて自分た

シティ・ポップの意義を
海外の若者が再発見しつつある。
1970〜80年代に日本が蓄積したものを
見失っては損をする
（写真は山下達郎）

ちの音楽を生み出そうとしたとき、そこに日本人としての感覚や伝統が絶妙に混ざり合い、世界に二つとないガラパゴスな作品を生み出していった。そのさい細野晴臣や大瀧詠一の独創性が、みんなに大きな影響を与えた。

このとき生まれたシティ・ポップは、ほかの文化ジャンルでも模索されていた、モダンな都市の先にある、ポストモダンな都市性というものを、音楽として追求しようとしていた。シティ・ポップの世界では、人と人との間にはつねに距離があって、どんなに愛し合っていても、二人はいつも孤独と背中合わせにいる。都市は人間だけの世界に濃厚に自閉してしまうのではなく、ベジタブルやアニマルな感覚とつながっているような、軽みがなければつまらない。

日本中が巨大な村に戻って、みんなが絆、絆と叫んでいるような世界がやってくるのは、まだまだ先のこと。シティ・ポップは日本経済の絶好調を背景に、世界にいまだ出現していなかったポストモダンの都市というものを、この東京にいちはやく、想像力によって出現させてみようとしていた。

こういうものがしだいに成熟し、蓄積を重ねて、文化の中に一つの厚みのあるたしかな「空間」をつくってきたのが、日本のポップス文化である。その「空間」はいまだに生命力を保っていて、都市文化の雛形として、ふたたび世界の注目を浴び始めている。

## 頑固者

シティ・ポップが生まれた頃、日本人は音楽以外のジャンルでも、元気な創造をおこなっていた。技術の分野でのそれはとくにめざましかった。音楽の領域と同じように、厚い蓄積がおこなわれていた。しかしそののち生産の拠点を中国に移すという、アメリカに先導された国策が選択され、技術者と技術の海外移転が起こった頃から、それまで蓄積してきた富の総崩れが始まってしまった。私たちはいまもなお、蓄積してきた富が日夜喪失されていくのを、悲しく目撃し続けている。

それにくらべると、シティ・ポップは、いまだに頑固に富を守り続けているように思える。それは、これを担ってきた音楽家たちの多くが、そろいもそろって頑固者だからであろう。その頑固ぶりを象徴しているのが山下達郎で、彼はこのご時世でもサブスクリプションをやらないと宣言している。自分のつくった音楽が、それをたいして好きでもない人たちによって勝手に売り買いされていくのに、参加したくないからだというのが、その理由。

日本人はもういちど、こういうシティ・ポップ的頑固さを取り戻すべきだ、と私は思う。自分たちが創造し、蓄積してきたものを、安易に海外に移転流出させることをやめて、もういちど国内へ回帰しよう。インドではガンジーが糸車を回して植民地主義と戦ったが、日本人はシティ・ポップを聞いて心に砦を築くのである。

# 氷上の阿修羅

## 神々と阿修羅

奈良興福寺の阿修羅像の美しさは、日本人の心をとらえて離さない。すんなりと長く伸びた手足。ほっそりとした体つきは子鹿を思わせ、優雅な身ごなしからは、天上の音楽が聞こえてくる。少年のような、あるいは少女のようなその顔立ちは、憂いを含んで、愛しいほどに美しい。

しかし阿修羅の内心はけっして穏やかではない。それは彼が完全であることを求めているからである。どんな技芸や武芸や学芸においても、阿修羅は常人の限界を超えて、理想とする完全性を追求している。

だが、彼はすでに気づいてしまっている。完全を実現しようとする彼の前に、立ちふさがろうとしているものがあることを。そのライバルを、阿修羅は凌駕することができない。かくして阿修羅は、激しく波打つ内心を抱えながら、そのライバルに戦いを挑んでいくことになる。

阿修羅のライバルのことを、インド神話は天上の神々として描いている。天上の神々は負け知らずの勝者である。まるで余裕を楽しんでいるかのような、自信たっぷりの神々の様子を見て、阿修羅は激しい感情に駆られて、神々に戦いを挑んでいく。戦いはほとんど互角であるが、その戦いはいつまでも続き、阿修羅は傷つき、しだいに衰えていく。仏陀に救い出されるまでは。

## 阿修羅としての日本人

このような阿修羅の姿に、日本人は深い共感を覚えてきた。自分たちのことを、まるで神々に抗《あらが》う阿修羅のようではないか、と感じてきたからである。阿修羅はかぎりなく神々に近い半神だが、神ではない。神々は、彼らだけが自由に操作することのできる「国際ルール」や「最新技術」を用いて、世界に君臨し、そこを支配し続けてきた。

近代の世界において、その神々にあたるのは西洋的世界である。彼らはさまざまな最新技術をもって、世界中を技術的世界に変えてきた。日本人はその西洋的技術にあこがれ、それを我がものとするだけでなく、自分たちの開発になる日本的技術によって、西洋世界を凌駕しようとさえしてきた。しかしついにその望みは達せられることはなかった。

日本人は近代に多くのすぐれた達成をなしとげてきたが、技術や経済の分野では、現代の神々である西洋技術文明を凌ぐことができないでいる。そこで日本人はどうしても自分たちを阿修羅と考えることになり、あの阿修羅像を見るたびに、この半神の抱える苦悩や悲しみを認めて、深い共感を覚えてしまうのである。

現代中国人が羽生結弦を神格化しているのは、
彼らも自分たちが世界の阿修羅であることを
認識し始めていることの証ではないだろうか
（JMPA）

## 技術からの自由

もうお気づきの方もあろう、私は羽生結弦という不世出の天才スケーターのことを考えている。その美しい容姿や類《たぐ》い稀《まれ》なパフォーマンスが、興福寺の阿修羅像を連想させるからというだけではない。二〇二二年の北京冬季五輪があからさまに示した、現代スポーツの抱える深刻な諸矛盾が、羽生結弦のスケーターとしての人生に及ぼしたはなはだ大きな影響の意味を考えるとき、私は阿修羅のミトロジーに、思いをめぐらさずにはおられない。

冬のスポーツは、技術に依存するところがはなはだ大きい。そもそもスキーやスケートそのものが、技術的な道具だからである。そのため最初から冬のスポーツでは、高い技術性の獲得が、勝負の決め手となってきた。フィギュアスケートの場合には、そこに舞踏という芸術的要素が加わることによって、さらに複雑になる。いかに優美に舞うことができるかは、たんなる技術を超えた芸術的なセンスを要求する。羽生結弦はこの技術性と芸術性の双方の面で、突出した才能を発揮してきた。おそらくこんなスケーターは、日本にも世界にも、これまで出現したことがない。

ところがここから問題が発生する。ジャンプと回転を基本とする技術面に関しては、世界標準にしたがって厳密に評価することができる。高い跳躍力も回転能力も、はっきり数値で評価することができる。しかし芸術面については、評価のための客観的基準というものがもともとない。

私たちには、羽生結弦のスケートが、日本人の身体から生み出される独特の美を、みごとに表現したものであることが一目瞭然であるが、そのことを数値化して評価する基準などというものは、存在しないのである。

そのことが技術によって世界に君臨する神々に、危機感を与えたのであろうか。神々は評価のための「国際ルール」の変更をおこなった。これによって羽生結弦のようなタイプのスケーターは、技術面で絶対的な優位を見せつけることができなければ、どんなに魅惑的な芸術性の高い演技をおこなったとしても、勝利者にはなれなくなった。神々はこうやって阿修羅の挑戦を退けたのである。

そうなると羽生結弦に残されるのは、かぎりなく不可能に近いと言われる四回転アクセルを成功させることによって、技術面で突きつけられた壁を突破するしかなくなってしまう。こういう状況をすべてわかったうえで、彼は四回転アクセルに挑み続ける。まさに神話の阿修羅ではないか。私はこうした状況をつくりだしている世界の技術的構造が、いつの日か反転して、自由になった阿修羅が演じる奇跡のように美しい氷上のパフォーマンスを見られる日が来ることを、心から望んでいる。

# 神仙界の羽生結弦

## 中国人の熱狂

中国人の羽生結弦選手への熱狂ぶりには、日本人を驚かせるものがある。日本人の羽生選手にたいする反応は、けっして熱狂一辺倒というものではない。彼のことを「神」と賛美する声もあるが、その神という言葉には、「神対応」という程度の希薄なリアリティしかこめられていない。そこで私は、日本人は彼の中に、神というよりむしろ半神阿修羅を感じているのではないか、と考えたのであった。

ところが中国人はそうではない。ネット上には熱狂的な神賛美の声が満ちている。スケートリンクでの彼の演技の見事さだけではなく、お辞儀の仕方、両手を口にあてて「ありがとう!」を言うときの独特なお礼の仕草、可愛らしい微笑み、無邪気な仕草、ときには厳しい表情、そうした羽生選手のすべてが、熱烈な賛美の的となっている。中国人が彼のことを神と呼ぶとき、そこにはなにかどっしりとしたリアリティのこめられているのが感じられる。では羽生結弦とは現代中国人にとって、いかなる「神」なのか。

## 神仙界への認定

もともと「羽生結弦」という名前は、その字面だけで、中国人のミトロジー的想像力をぶるぶると震わせてきた。羽生＝軽やかな羽が生え、ひらひらと舞う。結弦＝琴弦を結び美しい旋律を奏でる。これだけでもすでに羽生選手は、中国伝統の「神仙界」の住人たる資格じゅうぶんである。

加えてその美しい容姿と、卓越した氷上舞踏の技術は、彼をいっそう「仙童」や「天女」のジャンルに近づける。現代中国人は羽生結弦の名前を見ては震え、その容姿と演技を見ては感動して、そのまま彼を自分たちの心の中に確固たるイメージを保ち続けている「神仙界」の住人の一人に、躊躇《ちゅうちょ》なく認定した。

羽生結弦はもはや神仙界の存在なのである。そのことは、現代の京劇俳優にして歌手の李玉剛《リー・ユーガン》氏がつくって歌い、中国で最近大ヒットした『羽生』という曲を聞いてみると、はっきりわかる。現代中国において人々の心の中の神話作用は弱まっているどころか、むしろかえって強まっている。『羽生』はこう歌う。

羽落　生生不息／結満　思念的弦／風起　動了眉眼　在人間（……）
盛世　東方美顔　在祝愿／容顔如玉　身姿如松／翩若惊鴻　婉若遊龙

キャラクターにうるさい日本人が
ビンドゥンドゥンはなかなか可愛いと言い、
中国人が羽生結弦を彼らの神仙界に招き入れる。
神話論的な交換現象である
（JMPA）

（意訳：羽はひらひらと地上に舞い落ち、思念の琴弦上に美しい旋律と化す。眉眼は潑剌たる風を巻き起こす。なんという美しいオリエンタルな美顔！　玉の如き顔、松の如き姿、鴻が涼しげに大空を舞うように、氷上には龍の遊ぶが如きカーブが描かれていく）

どうやら現代中国人の心の中には、神仙界をめぐる古代的ミトロジーが、いまも脈々と生きているようなのである。羽生結弦選手へのフィーバーがはからずも露呈させたのは、このことである。

私は現代中国人の思考のこの古代的素朴さに感心する。日本人の心の中には、このような確固たる宇宙論的イメージは、もはや存在していない。そのために、羽生選手のような自分たちの誇るべきスターがあらわれても、その人を収めるべきミトロジーの容器が見つけられないでいる。そのおかげで、私たちは素直な反応のできない、ちょっとひねくれた国民となってしまっている。

## 天空に舞う神仙界

中国人にとっての神仙界の意味は、じつに奥深いものがあるが、それに関するもっとも興味深い現代的考察は、フランスの哲学者ミッシェル・セール氏によって与えられた。* いまから四十年近く前のこと、中国を旅していたセール氏は、中国の田園に林や藪地が極端に少ないことに気づいた。西欧の農夫なら、畑を開いたら、かならずどこかの隅の木や藪を切り残して、人間にとっても動物や鳥にとっても、心安らぐアジールとするだろう。ところがそういう地上のアジールが、中国の農村には見られない。こういう光景に、中国人は耐えられるのか、と哲学者は問うた。

そのときひょいと空を見上げ、セール氏はそこに軽々と舞っている凧を見た。そしてこう思索した。中国人のアジールのある場所は、この凧の舞っている空なのではないか。そこは仙人や天女が羽のように軽々と舞っている神仙界である。中国人は、地上を耕し尽くして、自由にくつろぐ空間を残さない。そのかわり彼らは、糸をつけた凧を天空高く上げるように、彼らの神仙界をはるか上空に置いて、そこに思いをこらすのである。神仙界には羽生結弦のような美しい存在が楽しげに舞っている。ネイサン・チェンも、アイリーン・グーもおそらくそこには入れない。

じっさい現代中国は、監視カメラがいたるところに設置されて不審者を見張り、全土に張りめぐらされたネットも、入念に監視され制御されている。昔の中国農民たちが、農耕地に空き地や藪地を残さなかったように、地上には自由を謳歌できるアジールは存在できなくなっている。

だが、彼らは心の内部空間に凧を上げることによって、地上を離脱する技を発達させているのだ。神仙界は現代に生きていて、そこに住まう神の一人として、日本人の羽生選手がその認定を受けた。そう考えてみると、中国人の羽生選手への熱狂には、じつに奥深い意味が隠されている。

＊ミッシェル・セール『離脱の寓話』（法政大学出版局）

# 音楽はどこからやってくるのか

## 細野晴臣の問い

音楽はどこからやってくるのか。この問いは「子供はどこからやってくるの？」という質問に答えるのと同じくらいに難しい。子供は私たちが生きているこの世界の外からやってくるからである。音楽もそれと同じように、世界の外からやってくる。

たいていの音楽家は、おぼろげながらそのことに気づいているが、あえてその外に向かっての旅をしようなどとは考えない。こちら側の世界に安住して、憧れに満ちた目で外の方を見つめながら、音楽をやっている。ところが、細野晴臣はちがった。彼はその外に触れてみなければすまない性分だった。その結果、彼の音楽人生は一種の巡礼の旅となった。

これは人から聞いた話だが、ベースの演奏が格段に上手くなったある日のこと、偶然つま弾いた音が、彼の鳩尾《みぞおち》を直撃したのである。その瞬間、細野晴臣は信じられないような悦楽に襲われた。身体の深いところから、いままで体験したこともない悦楽が、わきあがってきた。まるで人間であることの限界の外から、音楽とともに鳩尾をじんじんとふるわせる気持ちのよさが、襲いかかってくる。

このとき若い細野は、音楽は人間の外からやってくることを、深く理解した。音楽は人間の世界の内部におさまっていられない。音楽そのものが、外に向かっての旅である。それ以来、彼は音楽を通じて、いつも外に向かって脱出線を描く人になってしまった。

## ＹＭＯのミトロジー

細野晴臣が考えていた音楽は、そういう意味でミトロジーにきわめて近いものである。ミトロジーも人の心を、外の世界に開いていく旅の物語であるからだ。細野晴臣が仲間と「はっぴいえんど」の活動をおこなっていた一九七〇年代は、政治でも思想でもアートの領域でも、そういうミトロジー思考の全盛時代だった。そこで彼が抱いていた「音楽はどこからやってくるのか」という問いが、その頃盛んな精神世界の探求と結びついていったのも、ごく自然ななりゆきであった。

精神世界の探求は、人の心を外に向かって開いていこうとする運動である。その時代、探求者たちの行く手に待ち構えていたのは、ヒンドゥ教や仏教や神道の神々や師《グル》たちだった。ところがそれらの神々や師たちは、できあいの解答を与えることによって、探求者たちが奥に進んでいくのを阻むことが多かった。その様子を知った細野は、別の方向を必死で模索しはじめた。その模

細野晴臣の類例のない音楽人生は
まことにミトロジー的である。
彼の探求の旅は新しいステージに踏み込んでいる

索の中で、「テクノ」というコンセプトが発見された。

電子楽器を用いる音楽は、それ以前からもあった。しかし細野晴臣は電子楽器の持つ別の可能性に、目を向けていた。彼はこの楽器が持つ、あの鳩尾をゾクゾクさせ、脱人間的な境界に人を引きずり込んでいく魅力に惹かれた。それを追っていくと、音楽がやってくるあの外の世界に、近づくことができると直感した。テクノはそういう直感から生まれた、細野独自のミトロジー的コンセプトである。

こうして人間と機械の不思議な合体からなるYMOの実験が始まった。その音楽は、人形浄瑠璃のような魅力に満ちていた。人形遣いの棒の操作が文楽人形に伝えられると、人形は人間そっくりな動作をおこない、激しい感情を掻き立てる。それをこの世のものとも思われないクールな顔立ちの人形が演じる。その様子は、私たち人間もこうやって、この世界の外から送られてくる運命に操られた人形にすぎない、という認識を与える。

## 生きた音楽へ

人間の意識や意思が、この世のことを決めているわけではない。これは、まさしく細野晴臣が抱いてきた音楽の哲学の精髄をあらわす。「音楽はどこからやってくるのか」。この問いを抱いて音楽をやってきた細野晴臣は、テクノの発見を通じて、こうして必然的にYMOにたどり着いた。

ＹＭＯは熱狂的に迎えられ、商業的な大成功を得た。そして消費社会のまっただなかに投げ込まれ消尽された。ＹＭＯは散開の道を選んだ。ここから音楽の起源の場を探す細野晴臣の旅は、つぎのステージに入っていった。

その頃奇しくも、世界中で民族音楽学のフィールドワークが盛んになっていた。ヨーロッパ諸国では、中近東やアフリカからの大量の移民の流入が始まっていた。そこから「ワールドミュージック」のブームが始まったのである。鋭敏な細野は、自分の求めているものがそこに隠されている、と直感した。

音楽はこの世界の外から人間の心にやってくるとはいえ、いきなり現代の消費社会を生きている私たちのもとにやってくるのではなく、ほんものの音楽はまず、資本主義文化に冒されていない生きた人間たちの、貧しいが実直な社会に出現してくる。

だから音楽の起源の場所は、精神世界や前衛芸術の中にではなく、ささやかな人生を生きている人間たちのやっている音楽に見出すことができるはずである。そう悟った細野晴臣はまた新しい仲間をつくり、楽しい音楽のざわめきの中に、音楽がやってくる場所からの呼びかけを、耳を澄ませて聞き取ろうとする新しい活動を始めた。彼の巡礼の旅はまだ続いている。

# 花郎《ファラン》とＢＴＳ

## 防弾少年団

ＢＴＳの周辺では、いくつもの軍事用語が愛用されている。まずグループ名の「防弾少年団」である。これは表向きには、傷つきやすい少年の心を攻撃の銃弾から防ぎ守る、と説明されているが、少年に向けられているさまざまな社会的抑圧や攻撃を銃弾に喩えている点で、日本人などには思いつきにくい軍事的発想である。またファンは「ＡＲＭＹ」と呼ばれ、ファンどうしもたがいを「アーミーさん」と呼び合っている。比喩的に言えば、ＢＴＳとファンの大群は、一つの強力な軍隊をつくりなしている。その軍隊の先頭ないし頂点に、あの美貌の青年たちが立っている。

彼らは武器は持たない。そのかわり自分の肉体を踊る花に変えて、現代世界という戦場に出て行く。おそろしく切れ味のよいダンスと、アフリカ系も顔負けの独創的なヒップホップで、その戦場を美しく軽やかな舞踏する空間に変えていく。ＢＴＳは美しい「戦争機械*」なのである。ところがそれに熱狂している世界中の若者たちの多くは、BTSの深部にセットされている、この軍事的比喩の意味には気づいていない様子である。

韓国の人たちは、この比喩の意味に気づいている。BTSというアイドルグループの背後には、「花郎《ファラン》」という古代朝鮮の戦士的男子結社をめぐる民族的な記憶がひそんでいる。この記憶はもう長いこと眠りに入っていたが、二〇一六年に歴史ドラマ『花郎』のテレビ放映が始まり、その準主役をBTSのダンサーであるV（ヴィ）が演じたことにより、意識の表に再浮上することになった。BTSはその容姿といい、たたずまいといい、その演ずる歌舞といい、またその出身地といい（全員がソウル出身ではない）、いやがおうでも花郎文化を連想させる。こういう意味でも、Kポップのアイドルのなかで、BTSほどミトロジー的な存在はめずらしい、と私は思う。

## 戦士的男子結社

花郎は六世紀の新羅に、真興王によって制定された制度で、十世紀頃までその活動が続いている。貴族の男子の子弟をつのって、花郎という結社を結ばせた。花郎に選ばれた青年男子は、国家に一朝事あれば、ただちに武装して出征する。しかし普段は普通の社交クラブとしても機能していて、そこでは歌舞音曲やさまざまなゲームが楽しまれた。また道徳や礼節を厳しく教え込まれ、のちのち国家に必要な官吏を育てる機関としても、重要な機能をになった。

戦後の一時期には軍事的側面が
強調されていた花郎だが、
いまでは華やかなアイドル文化の
ご先祖という扱いに変わった
（写真はBTSのメンバー）

人類学では、新羅の花郎制度を、未開社会いらい人類の世界に連綿と生き続けてきた「男子結社（メンズソサエティ）」ないし「男子集会（メンズハウス）」を洗練させたものと見ている。[**] この男子結社では、美と芸能と戦士性が密接に結びついていた。若い肉体はそれだけでも美しいが、そこではこの男子たちがきらびやかな衣装を身にまとって舞い踊ることによって、しばしば女性をもしのぐ美を現出させるのである。

それになによりも、彼らは戦士である。ひとたび戦争が起これば、花郎は武具に身を固めて戦いの場におもむき、死と隣り合わせの危険をかいくぐらなければならない。こうして花郎の美しさは死との近しさによって、独特のエロスをも醸し出すことになる。傷つきやすく、あっさりと死に身をゆだねてしまいそうな青年たちを集めた戦士集団としての花郎。彼らの中では、戦士機能と芸能機能がひとつに溶け合っている。

それればかりではない。花郎はアイドル集団でもあった。花郎には「仙」という尊称のつくリーダー格の美貌の青年たちが代表に立つ。彼らは武術や芸能に巧みなだけではなく、勇気と決断力によって、集団を率いていく能力に恵まれている。彼らは平のメンバーたちのあこがれの的であり、彼らのためなら命を捧げてもかまわないというほどの熱愛に包まれていた。

東アジアには、中国においても朝鮮においても日本においても、「戦士＝芸能者＝アイドル」の結合からなる、さまざまな形をした男子結社が出現してきた。なかでも新羅に出現したそれは「花郎」として、魅力的な舞台装置と神話に包まれた華やかな伝統を形成してきた。ＢＴＳはその花郎を、現代によみがえらせたのである。

## 東アジアのアイドル文化

現代の東アジアには、古代的な由来をもつ戦士的男子結社の芸能版とも言える、いくつものアイドルグループが生まれては消えていった。ジャニー喜多川の創造した「ジャニーズ」がそのいちばんの先駆者であったとすると、ＢＴＳはいわば現代におけるその完成形を示している。ジャニーズからＢＴＳまで、東アジアの近年のアイドル文化は、ある意味で花郎の伝統からの大きな影響を受けて育ってきたと言える。

しかしジャニーズとＢＴＳの間には、大きな違いも横たわっている。それは一言で言って、「原始性」からの距離である。おおいに花郎的なＢＴＳは、いまも原始性への近さをキープできている。これに対して日本のジャニーズ文化は、原始性から遠く離れてしまった。そのため、騎馬民族的原始性をいまだに体内に保存しているＢＴＳは、アフリカ的原始性の保存装置であるヒップホップに、難なく結びついていくことができたのだった。現代の大衆文化では、原始性への近さが成功の鍵を握る。ＢＴＳはまさにその鍵を手にしたのである。

＊ドゥルーズ＝ガタリ『千のプラトー』（河出書房新社）
＊＊三品彰英『新羅花郎の研究』（平凡社）

# 古墳と宝塚歌劇団

## 宝塚という地名

阪急電鉄の沿線には、たくさんの立派な古墳が残されている。そのあたりは古代以来の海民の居住地で、早い時期からヤマト王権と良好な関係を築いていたので、そのことの象徴である「前方後円墳」も多数つくられている。宝塚もそうした古墳の町である。市内にはいくつもの古墳が残されていて、大地に埋蔵された富をめぐる古代からの幻想とこの古墳群の存在が結びついて、宝塚の地名を生んだ。

この町に鉄道を敷いてきたのは、稀代のアイデアマンであった小林一三である。この町には温泉も湧いたので、彼は駅の近くに新しい温泉を掘って、そこに当時はまだ珍しかった室内プール「パラダイス」を開設した。室内プールの経営が思わしくないと見ると、小林はそれを思い切りよく閉鎖して、そこを温泉場付属の劇場に改装した。

この劇場で彼は、当時流行の兆しを見せていた少女ばかりを集めた歌劇団の公演を始めた（一九一四年）。最初の頃は、演出も音楽も稚拙なもので、桃太郎伝説などを題材に、かわいい少女たちがただ歌い踊るというだけのたわいもない出し物であったが、それでも温泉客には大人気であった。

それが一九二〇年代の中頃になると、その時代のエンターテイメントの本場であるパリで、内容も技術も格段にすぐれた絶頂期の「レヴュー」をじっさいに見て大いに感動し、その感動もさめやらぬままに「こんなレヴューを日本でも」との思いを胸に秘めて帰国した若い才能たちが、宝塚に集まってきた。

いまや壮麗な宝塚大劇場に生まれ変わった劇場を舞台にして、『モン・パリ』『パリゼット』などの日本版レヴューが、つぎつぎとお披露目され、関西少女たちの、いや日本中の少女たちの心を、文字通り鷲摑みにしたのだった。

## 大階段の神秘

この段階ですでに、「ラインダンス」と「大階段」の演出が登場している。ラインダンスはパリのレヴューでも、すでに大人気となっていた出し物のコピーであるが、注目すべきは大階段の演出である。舞台を埋め尽くす巨大な階段の上から、エトワール（スター）たちが羽根をつけたきらびやかな衣装を身にまとって、歌い踊りながら、つぎつぎと降りてくるのである。

「降りてくる」などという言い方では、とうてい不十分だ。この世のものとも思われぬ美しい存

羽をつけたエトワールたちが、
大階段を降臨してくる。
前方後円墳を生んだ日本人の想像力は、
近代になって宝塚大劇場によみがえった

在が、天使の羽根を揺らめかせながら、しずしずと地上に降臨してくるのである。これはまさに、近代によみがえった古代祭儀の姿にほかならない。

この演出の見事さは、欧米のものにはるかに優っている。世俗的な欧米のものでは、すでに古代祭儀としての臨場感が失われてしまっているが、宝塚の大階段にはそれがまだ生きている。土地の無意識的記憶と結びついたミトロジーの潜在力が、時代を超えて現代のエンターテイメントとしてよみがえっている。

宝塚歌劇のこの大階段の構造と演出に、私は前方後円墳という古墳形式との、ミトロジー的な同型性を見るのである。前方後円墳は、前のほうの四角い土壇と、後方にある丸い土盛りという、二つの部分を結合してできている。後方の丸い部分が墓室であることはわかるが、前方の四角い土壇部の意味や働きは、長いことわからなかった。それが最近の研究で解明されだした。

死んだ首長（王）の遺体を後方の墳墓部に埋葬したあと、引き続いて古墳では新しい首長のお披露目式がおこなわれた。そのとき新首長は四角い土壇部をステージにして、墓のまわりに集まる民の前に、その神々しい姿を立ち現せる。その演出を効果的にするために、この古墳の構造が案出されたらしいのである。

この光景を土壇の下から眺めていた、当時の庶民の心持ちになってみよう。深夜、たいまつに照らされた土壇の頂上に、きらびやかな衣装の巫女《みこ》たちが舞いながら現れたのち静かに立ち並ぶと、奥の暗闇の中から威厳にみちた衣装をまとった新首長が、ゆっくりとこちらに向かって歩んでくるのだ。古い世界が崩壊して闇に包まれていたカオスの中に、光にみちた「エトワール」が出現して、世界は新しくよみがえる。この「死と再生」の儀式のクライマックスをつくる前方後円墳での演出は、宝塚大劇場での大階段の演出の思想と、そっくりだとは思わないだろうか。

## 想像力の通底器

こうした演出のおおもとになったパリのレヴューを、観客として観ていたシュールレアリスムの詩人アンドレ・ブルトンは、レヴューの舞台が夢の世界の構成とそっくりであることに驚嘆しながら、『狂気の愛』という作品を書き始めている。* 男性ダンサーによって踊られているラインダンスが、彼を夢と死の幻想へと誘っていったのである。

同じ頃の舞台を観ていた進んだ日本の演劇人たちは、深い感動に襲われて、帰国して続々と宝塚へ集まっていった。レヴューの何が彼らを感動させ、「日本のレヴュー」をつくるため、ほかでもない宝塚に向かわせていったのか。ここで宝塚という古墳の町のミトロジー的な磁場について考えてみることも、あながち荒唐無稽な話ではなかろう。人類の想像力は、不思議な「通底器」を通じて、時空を超えて一つにつながっているからである。

*アンドレ・ブルトン『狂気の愛』（光文社古典新訳文庫）。彼はまた『通底器』（現代思潮社）という作品も書いている

# 聖なるポルノ

## 『㊙色情めす市場』の快挙

二〇二二年のベネチア国際映画祭の「クラシック部門」に、一九七四年日活製作の映画『㊙色情めす市場』が選出された。日活ロマンポルノの作品が、カンヌ・ベルリン・ベネチアの世界三大映画祭に選出、上映されるのは初めてのことである。

日活ロマンポルノは一九七一年に製作が開始され、激動の七〇年代を疾走した映画群であるが、『㊙色情めす市場』はその当時からも、ロマンポルノの最高傑作との評価が高かった。製作開始から五十年をへて、製作陣の多くはすでに他界されてしまったが、今回の快挙には、さぞかし冥界の映画館も沸いていることだろう。

それにしても『㊙色情めす市場』とは、すさまじいタイトルである。ロマンポルノのタイトルとしても、他作品をはるかに凌駕してすさまじい。しかしもともとの題は『受胎告知』である。処女マリアに大天使ガブリエルがイエスの受胎を告げる場面を描いた、あの聖書の「受胎告知」

である。それがロマンポルノではこのタイトルになる。* このあたり、当時の日活の営業部のはじけた無頼さが感じられて、今となってはむしろ痛快である。

受胎告知の場面を描いたフラ・アンジェリコの名画では、初々しい処女のマリアが、大きな羽を背負った神々しい大天使の前に、うやうやしく頭《こうべ》を垂れている。背景には整頓されたイタリア中産階級の居間が描かれ、画面には恭順と敬意の心情がみちみちている。

ゴダール監督も「受胎告知」の映画を撮っている。『マリア』に登場する現代のマリアは、会社で事務員をしている。仕事が終わってバスケットに汗を流したあと、ガソリンスタンドのところで、長いコートを羽織った妙に男臭い大天使に呼び止められる。「おい、お前、受胎したぞ」。この一言にマリアはびっくりする。しかし場面背景には、カラーコーディネートの行き届いた、整ったジュネーブ郊外の街が広がる。

## 釜ヶ崎のマリア

しかし、田中登監督の『受胎告知』では、そうした美しい登場人物、整った背景などのすべてが、みごとに逆倒させられる。受胎告知の場所はコーディネートなどという言葉がいちばん似合わない混沌の大阪・釜ヶ崎、マリアはこの地で体を売っている売春婦、イエスにあたるのは知的障害を背負った弟、ちなみにマリアの母親も街路の売春婦である。聖書の精神をラジカルに推し進めていくと、こういう筋立てになると言わんばかりの大胆さである。

キリスト教がポルノと共通する構造をもっていることは、
昔から少数の思想家が気づいていたが、
この映画ほどそのことを赤裸に示している
芸術作品も少ない
（日活）

芹明香《せりめいか》演じる主人公のトメは、釜ヶ崎の路上に産み落とされ、そこで育って、いまはそこで体を売っている。トメはこの街をこよなく愛している。まるでこの街の大地母神のように、全国からここに集まってくる貧しい労働者や売人たちの、むせかえるような乱暴な欲望を、その体に受け止め、吸い上げ、そうやって彼らを癒やしている。相手は選ばない。自分を求めてくるものがいれば、たとえそれが自分の母親の情夫であろうが、選り好みはしない。トメはじつに広大な平等心と慈悲心をもった、菩薩＝マリアなのである。

『㊙色情めす市場』には、じつは強力な宗教的次元が隠されている。じっさいあらゆる宗教はポルノの構造をもっている。宗教では人間を超えた「聖なるもの」が、現実の世界に降りてくる。聖なるものは教祖や聖者の肉体に入り込み、その人を激烈な愉悦や常軌を逸した感激で満たす。肉体の中に肉体の通常の機能を超えた力が、侵入してくるのである。

## 実夫《さねお》の昇天

ポルノも同じことをめざしている。エロティシズムという常軌を逸した力をもったなにものかが、肉体の中に侵入してくるさまを描き出すことが、あらゆるポルノの究極の夢なのである。ポルノとしての宗教、宗教としてのポルノ。七〇年代の世界では、まだこういう思考が公然と活動することができていて、そこからこのような日本版「受胎告知」の映画は生まれてきた。

だから『㊙色情めす市場』がカソリックの国の映画祭で、きわめて高い評価を得たのは、この映画が「ポルノとしての宗教」というカソリックの秘められた願望を、みごとに実現してみせていることに、イタリアの人々が気づいたからだろうと、私は密かににらんでいる。この映画はその意味で文字通り「聖なるポルノ」なのである。

この映画の宗教性が爆発を起こすのは、知的障害をもった弟である実夫の「昇天」を描くラストのエピソードである。弟の性の衝動を、コンニャクを使って処理してあげていたトメは、求められるままにとうとう弟に体を与える。このとき実夫の内部で、なにかがはじけ飛んだ。彼はかわいがっていた鶏を連れて、通天閣をよじ登っていく。実夫は「いと高きところ」をめざし、自らを十字架刑に処するように、首をくくって自死するのである。

マリア＝トメの弟にして子供である実夫は、最後は彼女の夫として、雄々しく「昇天」をとげていく。姉と同じように路上で産み落とされた弟は、姉の愛によって完全なる男への変貌をとげ、ついに天へと昇っていった。まったく独創的な解釈学による、聖書の変形である。このような映画が日本でつくられたということ自体が、七〇年代という時代の精神的豊饒さを語っている。

＊ベネチア国際映画祭では翻訳不能な公開時タイトルのほうでなく、原題の『受胎告知』のタイトルで上映された

# アンビエント

## イーノにはじまる

前世紀の七〇年代にグラムロックのスターだったブライアン・イーノが、艶やかなメイクやコスチュームを捨てて、それまでやっていた音楽の対極にあるような『ミュージック・フォー・エアポーツ』をリリースしたとき（一九七八年）、音楽に新しい時代がはじまった*。

イーノは自分がつくりだした新しい音楽に、「アンビエント・ミュージック」という名前をつけた。これを日本の音楽ジャーナリズムは、「環境音楽」と訳した。日本では折から環境問題が大きくクローズアップされていた時代なので、イーノの新しいアートの試みは、なんとなく政治的なニュアンスまで持たされるようになった。

しかしこれは本人も語っていることだが、「アンビエント」という言葉は、エリック・サティの『家具の音楽』から着想されたもので、いたって非政治的な思いつきにはじまっている。部屋の中に置かれた家具は、周囲にすんなり溶け込んで、それ自身が目立った存在にならないもののほうが、良い家具である。サティはそれと同じように音楽も、劇的で刺激的でグラマラス（魅惑的）であるよりは、良い家具のようになりたいものだと考えた。

イーノはこの考えをすなおに発展させた。ロックスターは存在自体がグラマラスである。舞台の前景におどり出て、音楽とダンスによってオーラをあたりに放散させる。そういうロックシーンのどまんなかで活躍してきたイーノは、それと正反対の方向をめざした。自分自身を目立たない「家具」に変成させていくのだ。自ら家具に変成した音楽家は、それ自身としてはいたって目立たず、まわりの家具たちを自在に配置換えしながら、人間の生きる新しい空間としての音楽を生み出すのである。

## 八〇年代の根本思想

そこでは音楽家もアンビエントの一部である。彼の脳の中で進行していくユニットの配置換えと新しい組み合わせ（それが「想像力」と呼ばれるものである）が、コンピューターをつうじて、音や光のたえまない変容として変換されていく。そうなると人間の精神だけが作品をつくるのではなく、アンビエントと化した作品自身が、人間の精神を巻き込みながら、精神と物質がひとつに混じり合っていく世界をつくっていくことになる。イーノはそういう新しい音楽に、「アンビエント」という名前を冠した。

このアンビエントが、一九八〇年代の思想を象徴する本質的な言葉となった。じっさいその時

世界はたえまなく動き変化していくというのが
アンビエントの思想だが、
それは日本人の世界観にぴったりである
(写真は1970年代のブライアン・イーノ)

代には、文学でも哲学でもアートの領域でも、「作者はいない」とか「脱構築」とか「人間は消え去る」とか「アートは地球の作品」などと語られて、人間中心主義を否定するような思想の花が咲いたものであるが、いずれもコアの部分では、アンビエントと共通する思想を語っていた。

八〇年代に語られた思想の多くが、近い将来に地球を覆うことになる、「人新世」にたいする危機を予感していたのである。人類という生物種の数が増えすぎてしまって、それをグローバル化した資本主義の経済システムとAI技術の飛躍的発展とが後押しして、地球環境のバランスを壊しかかっているという予感を抱いていた。そこで人間を地球の主人の地位から後退させて、地球の家具のような存在に戻さなければならないと考えた。

それが「ポストモダン」の思想の根本であり、「アンビエント」という言葉はそれをたくみに表現していた。アンビエントはそれ以前のヒッピーやニューエイジの自然回帰とちがって、AI技術を否定しない。頭の良いAIは、確実に人間の地位を脅かすことになるが、人間を家具に引き戻すためには、それはそれでむしろ良いことではないか。

## アンビエントな日本

それよりもAIを上手に使用することによって、人間の精神と機械的物質とがひとつに入り交じった、新しい世界を創造できるのではないか。そのためには金儲けに走る資本主義に欠けている、アート的なヴィジョンが必要である。科学にはいまこそアートが必要であり、アンビエントがそれを先取りする。

このようなアンビエントの思想は、日本文化ときわめて相性が良いのである。ここでは主語の立場が弱く、周囲の世界からの力がすぐに主語の中に入り込んでくる。「我花を見る、花我を見る」という言葉に象徴されるように、主客がひとつに溶け合った「場所」というものが、ものごとを考えるときの基本になっている。

グラマラスなものよりも簡素なものが好まれ、存在を誇示しているものよりも慎ましやかなもののほうに、高い価値が置かれる。世界の主流に反して、日本文化は伝統的にアンビエントな本質を保ち続けてきた。そしてこのアンビエントな本質をなくしてしまうと、日本文化は人類にとっての存在価値を失ってしまうのである。

近い将来に、日本はいまよりも世界の中で、ずっと目立たない国になっていくだろうが、自分が地球の家具のような存在になっていくのを、残念に思うのはやめにしよう。日本は先進的なアンビエントの思想によって、文化をつくってきた国なのである。そのことを徹底することによって、むしろ活路は開かれてくる。


*二〇二二年、京都中央信用金庫 旧厚生センターにおいて、六月三日〜九月三日にブライアン・イーノの新作展『BRIAN ENO AMBIENT KYOTO』が開かれた

# 非人間性について

## 人形舞に魅せられて

年末年始になるたびに、若い頃の私は毎年のように大阪へでかけては、朝日座で文楽を見るのを、楽しみにしていた。人形舞というものに、私は魅了されていたのである。

私の郷里の山梨には、傀儡《くぐつ》という放浪の芸人が舞わせていた人形舞の古い形態が、「天津司舞《てんづしまい》」という名称で、伝えられてきた。私は少年の日に、この人形舞から強烈な衝撃を受けた思い出がある。

天津司舞では、大人でも一抱えにあまるほど大きな数体の人形を持ち上げて、田んぼ道を静々と行進してきたあと、境内に設けられた幕囲いの内で人形を舞わせる。舞わすといっても、とりたてて変わった所作《しょさ》があるわけではなく、大きな人形がゆらゆらと空中を動いていく姿を眺めるだけである。

それなのに、この人形舞は子供の心に大きな動揺をもたらした。この世ならぬ存在が、人形の姿を借りて、この世にあらわれている。その存在はゆらゆらと揺れながら、この世を抜け出して、人間の儚《はかな》い業を見下ろしている。

私はそのときはじめて、神の視線というものを実感して、震え上がってしまった。人間の世界を離脱した「目」が、じっとこちらを見つめている感覚である。そのとき以来、私は古い来歴を持つさまざまな人形遣いの芸能の虜《とりこ》となった。文楽にたいする強烈な関心は、そこから発している。

## 遠くからのまなざし

傀儡のおこなった人形遣いの芸能には、人間の世界を抜け出して、遠い視線から人の世を見下ろしている、神の視線のようなものが感じられる。同じ遠くからの視線は、文楽のなかにもはっきりと感じ取ることができる。そのことをまっさきに感じさせるのが、幕開けを告げる「東西声」だ。黒子の衣装を身に着けた東西声は、「とざい。とーざい」という呼び立てに続いて、本日の演目と演者の名前を告げて、そのますっと奥に引っ込んでいく。

すべての語尾を下げないという決まりにしたがって、東西声は非人間的な一本調子で、観客の心を人間臭い世界から離脱させていく。非人間的といっても、コンピューターで合成した機械の声とはちがって、人間の内部から外に離脱してきたものの放つ声である。

人形を抱えて登場した人形遣いが、その人形を操りはじめる。太夫の語る物語に合わせて、人

日本人は西洋のように「哲学」はしない。
そのかわり哲学的な芸能の仕掛けを通じて、
人間について考えるのである

間そっくりの動きを見せる人形のほうに観客はしだいに同化しだす。すると奇妙な逆転がおこる。人形を操っているのは素面の人形遣いである。つまりは人間である。ところが人形と一体化してしまった観客には、人形遣いが自分の運命を操っている外部の存在のように感じられてくる。

人形は私たち人間と同じに、運命の神に操られて、つぎつぎと起こる不条理な出来事に巻き込まれ、死にむかってひた走っていく。この様子を固唾を呑んで見守っている観客は、そのとき人生の真理を悟ることになる。ここで演じられている人形の芝居の構造は、私たちの人生を突き動かしているものの仕組みと、そっくりではないか。私たちもこの人形と同じように、見えない運命の神に操られ、とうてい納得することなどできない人生の不条理を走り抜けている存在なのではないか。

文楽はこのように人間の外にあって、遠くから人間を見つめている視線の存在を感知させる力を持つ芸術なのである。素面の人形遣いと人形の関係も、黒子と人形の関係も、すべてが人間の世界から離脱している視線を生み出すために考え出された仕掛けである。その視線の主は、神と呼んでもいいし、またとりたててそう呼ばなくてもいい。

自分という意識の外に脱出して、自分を遠くから見ている視線を獲得することで、人間は自分という存在の儚さを悟ることができる。これはすべての偉大な芸術に備わった特質である。文楽は原始的な傀儡の人形劇から発達してきた大衆的な芸能でありながら、この意味でも偉大な芸術としての本質を備えている。

## 非人間性という鏡

日本人は超越者としての神を持たなかったが、傀儡人形のような仕掛けを通じて、人間の世界を離脱した「目」を持つことによって、自分たちの無明の生を外から照らし出そうとしてきた。この「目」は人間性を離れた、非人間の「目」である。非人間の「目」は、すべてのものを平等に照らし出す。えこひいきも忖度《そんたく》もなく、おセンチな同情もしない。期待もしないし失望もしない。しかし人間の世界から少し離脱しているだけで、完全に超越しない分だけ、慈悲心にはあふれている。

この非人間の「目」という鏡に、自分の人生を映し出して考えることが、この国の哲学である。人間の間柄の中にすっぽりはまったまま、倫理的な判断を続けていても、堂々巡りをするばかり、私たちの世界はどんどん息苦しくなっていく。そういうとき、世界を離脱した非人間の「目」に見つめられていることに気づくと、心は軽くなる。なあに、私たちの人生など、たいしたものではないさ。人間は非人間性の大海に浮かび上がってきた泡のようなもの、だから大まじめにやることもないと、文楽人形は語りかけてくる。

# タトゥーの新時代

## 衣服の記号性

肌に衣服をまとうことだけを、正常で普通なことと考える人たちにとっては、肌にタトゥーを入れている人たちは、どこか常軌を逸した感覚の持ち主のように思われている。その反対にタトゥーを入れることに抵抗を持たない人たちには、それを恐れている人たちは、覚悟のない臆病なへたれにしか見えない。この感覚の落差は、いったい人間心理のどこに根ざしているのだろうか。

裸の身体にまとうのは衣服だけと信じている人たちは、違う衣服をとっかえひっかえ着替えることができる。そこでは衣服は皮膚といっしょになって「記号」をつくっている。記号は能記（記号の表現面）と所記（記号の内容面）の結合でできている。kiという音（能記）と木という概念（所記）が結合して「木」という言葉ができている。しかしこの結合は絶対のものではない。同じkiという音は「気」もあらわすことができるし、「黄」もあらわせる。

それと同じように、皮膚という所記は変わらないのに、衣服（能記）のほうは、置き換えや交換が自在に可能である。このように衣服は自由な記号性を持っているから、現代世界を動かしている資本主義と、たいへんに相性がよいのである。商品が他の商品と置き換えや交換がなされることによって、この世界は回っている。現代世界を動かしているこういう「記号性」を、衣服が象徴している。毎年移り変わっていく「ファッション」が、衣服の世界で重要になっているのは、そのためである。

## タトゥーの非記号性

ところがタトゥーの場合は、そうはいかない。肌がまとうものをみな「衣服」と呼ぶことにすれば、タトゥーは肌にその衣服を直接に彫り込んでしまうからである。現在では若気のいたりで、盛り上がった勢いで彫ってしまったタトゥーを、レーザーや薬剤で消すこともできるようになっているが、真性のタトゥーフリークは絶対にそんな「覚悟のない」真似はしない。一度肌に彫り込んだタトゥーは一生モノである。彼らはその同じ衣服を一生着続ける。

タトゥーフリークは、衣服の記号性を否定し、ファッションの記号的軽薄さを否定し、すべてのものを交換可能なものにしてしまう世界の背後にある資本主義までも、無意識の中で否定しようとしている。彼らのやんちゃな行為の背後には、硬派なアンチの精神が息づいているのが感じられる。この世界は記号でつくられ、記号が動く時に世界も動いていく。しかしタトゥーを肌に

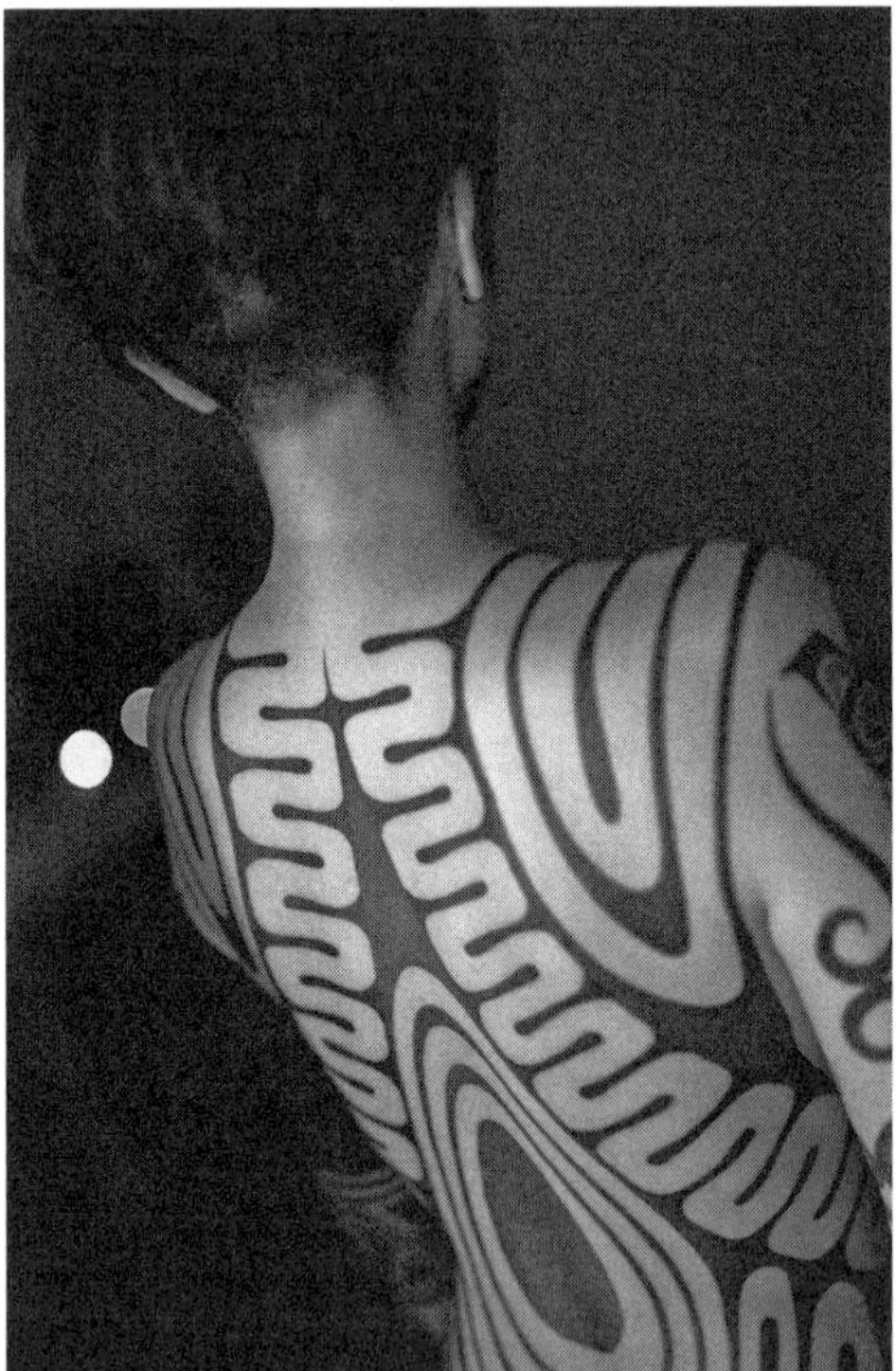

タトゥーは現代世界からの脱出を目指す覚悟を持った人たちに、
有力な手段を提供している。
これは美しいトライバルタトゥーの作品例
（大島托『一滴の黒　Traveling Tribal Tattoo』
ケンエレブックスより。©KENTA UMEDA）

直接入れることによって、その記号としての世界の運動には、小さなストップがかけられる。

そういうタトゥーが、いま若い世代を中心として、世界中で人気になっている。（あまり信用のおけない）ある調査によれば、「いま、欧米では人口の半分にも迫ろうかという勢いで愛好者が増えている」*という。これに辺境地帯の人たちがやっている、伝統的な風習によるタトゥーを加えれば、じつに世界はタトゥー愛好者であふれはじめている。

これほど多くの人類がいま、記号性によって支配されているこの世界を、心地よいと思っていないらしいのである。彼らは自分の存在を確認する儀式を、いろいろな形で求めている。おびただしい数のピアス穴を身体に開けたり、人工物を肌に埋め込む人たちは、なんでもかんでもが交換可能になってしまっている世界に、そうやってささやかな抵抗を試みている。私は私でしかない！　現代の実存主義者は、黒のタートルネックを着るのではなく、皮膚に直接タトゥーを彫り込むことによって、その意思表示をおこなおうとしている。

## トライバルタトゥーの豊かな世界

このようなタトゥーの新時代の中で、とりわけタトゥーフリークたちの関心を集めているのが、トライバルタトゥーというジャンルである。都市の環境の中ではなく、僻地《へきち》の深い森の奥などにひっそりと暮らしてきた「部族《トライブ》」の人々が、肌にほどこしてきたタトゥーの文様にたいする関心である。

「部族」の人々は、記号によって事物を操作したり、特別な存在を他のものと交換できる一般的なものにすり替えて、商品にしてしまったりすることを、よしとしない文化を育ててきた。その世界では、タトゥーを肌に彫り込むことによって、人間はただの動物であることを脱して、一人の自立した人間になる、と考えられてきた。タトゥーの文様には、自然力が力強い抽象的なデザインに封じ込められていて（これが「呪術」の本質である）、その文様を肌に彫り込んだ人をオンリーワンの存在にする。

その「部族」的世界で彫られてきたタトゥーが、新しい意匠に洗練されて、現代の実存主義的なタトゥーフリークたちの肌に、彫り込まれている。一度これを肌に入れてしまうと、もう普通の世間には戻れなくなってしまう。自分の肌を痛めることをつうじて、親を泣かせて首尾よく「出家」を果たし、想像の「部族民」を目指して、国家からも逃走してしまう。この覚悟のほどに、私などはつい「おそれいりました」と感じ入ってしまう。

*大島托『一滴の黒』（ケンエレブックス）には、現代のタトゥーイストの思想がみごとに表現されている

# III

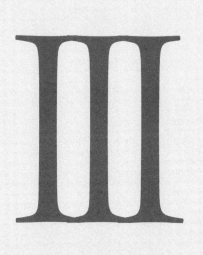

# ミニチュアの哲学

## 駅弁と盆栽

たくさんの外国人旅行者が日本へやってきていた頃、彼らに強い印象を与えたものの一つが、駅弁であった。美味しさもさることながら、その視覚的コンセプトの見事さに、彼らは感動した。小さな四角い箱の中に、美しいさまざまな食材がバランス良くきちんと納められ、まるでそこに小さな宇宙が現出しているかのような印象を、駅弁は与える。この駅弁は、幕の内弁当を祖型として、そこから多彩に発達したものである。*

食のチャンピオンを自負しているフランス人などは、硬いパンの間に無造作にハムを挟んだだけのような、自分たちの国の「駅弁」を恥ずかしいと感じたのであろう。帰国後さっそく日本の駅弁のコンセプトに触発された、Ekibenを作って売り出したら、これがおおいに受けた。小さな箱の中に大きな世界をすっぽりと納めてみせるかのごとき、我が国の駅弁は、そのうち世界中で、旅の快楽に大きな変革をもたらすにちがいない。

だが駅弁は、日本文化の深層にセットされた創造原理の表現としては、まだ序の口にすぎない。「小の中に大をすっぽり納め、一の中に多をやすやすと容《い》れる」という、この創造原理から生み出された文化は、俳句から半導体技術にいたるまで枚挙にいとまがないが、なかでもラジカルなのが盆栽である。

盆栽は「小の中に大をすっぽり納める」という創造原理を、実在の植物を用いて具体的かつ即物的に表現しようとしたものである。鉢の中でミニチュアサイズに育てられた植物がかたちづくる小宇宙の中に、現実の自然をすっぽり納め込もうとしている。そのさい形態ばかりでなく、現実の自然が内包する潜在力まで、ミニチュアサイズの中に納めようとする。そのとき盆栽が駆使する技法は、駅弁にも俳句にも真似のできない、ある種の異常さを秘めている。

## 盆栽という怪物

このとき盆栽は、自然の潜在力の表現として、とてもユニークな方法を開発している。サイズをどんなに縮小しても、情報量を減らさないための「相似化」の方法である。ふつうは事物をミニチュア化すると、情報の縮減が起こる。自然を絵画やデッサンで描くときにも、画家は自然を縮減する操作をおこなっている。この縮減操作をつうじて、画家は自然のエッセンスを抽出しようとする。

これに対して、盆栽はサイズを縮小しても、情報を縮減しないというやり方をとる。デッサン

日本人は自然の本質が怪物であると考えてきた。
オブジェに作っても
その怪物性が消えてしまわないように、
「極小に極大を納める」盆栽芸術は発達してきた
（九霞園）

では樹木の木肌の細かい構造は捨象される。ところが盆栽では木肌の微細構造は、ミニチュア化されてももとの木肌を相似的に小さくしただけで、どこまでいっても特徴を失わない。

盆栽は、小宇宙と大宇宙の間に情報量を減らさない「相似性」の関係を作り出す。そのため自然のミニチュアとしての盆栽は、現実の自然と同じ情報量を持つことになる。自然の潜在力を縮減することなく、それをミニチュアサイズに閉じ込めるという離れ業を、盆栽は実現してみせる。

そのせいで、盆栽はどこか怪物めいたところを持つことになる。自然をまるごと知的にとらえるために、人間は情報量を減らす縮減の方法をとってきた。ところが盆栽にあっては、どんなにスケールを小さくしていっても、どんな細部にも無限に豊かな情報が内蔵されているために、知的にとらえつくすことが不可能なのである。目の前にある盆栽は、一目で把握できるように見えて、じっさいには知的に了解することが不可能にできている。

## 日本の自然哲学

外の自然と相似的にミニチュア化された「もう一つの自然」を提示するとき、盆栽では植物の自然の成長に手を加えて、枝の形を針金を使って不自然にたわめたり、切り縮めたりすることによって、植物をいわば「奇形化」させる操作をおこなう。この操作によって盆栽芸術は、ミニチュア化された「自然の怪物」を、意識的に作り出そうとしている。内面は自然の怪物でありながら、外から眺めると端正な美にみちている。

日本文化の創造原理の中で、（「ポストヒューマンな天皇」参照）無を美に造形する技術と並んで、（盆栽に見るように）怪物的な存在を、こぢんまりとした美に昇華するための方法が、さまざまなミニチュア化の技術として発達をとげてきた。そういう創造は、今日も旺盛に続けられている。『ポケモン』が、その代表である。

このゲームでは自然の諸力がさまざまな「モンスター」として造形される。ゲーマーはこの怪物たちと戦って捕獲することをめざす。そのときゲーマーは怪物に向かって「モンスターボール」と呼ばれる小さな格納容器を投げつけるが、このボールが当たった瞬間に、モンスターたちはミニチュア化されて、ボールの中に納まってしまう。

そうやって自然の潜在力を捕獲し集めていくことで、ゲーマーは自分の体内に自然力が取り込まれていくような幻想を持つ。このとき若いゲーマーが抱く幻想と、丹精込めた盆栽を眺めている趣味老人の抱く幻想は、じつは同じ構造をしている。幕の内弁当から盆栽をへてポケモンまで、じつにミニチュア化は、日本の自然哲学の本質そのものをしめしている。

＊幕の内弁当のコスモロジーを最初に論じたのは、デザイナーの榮久庵憲司氏であった

# 乗り鉄の哲学

## 鉄道または超越の旅

鉄道というものが出現してまだ間もない頃から、鉄道に特有の不思議な感覚は、すでに多くの人々に共有されていたようだ。鉄道は決まった線路の上を走る。乗客は座席に座って、体を動かさないままで、車窓を眺めたり、（これは昔の風景だが）新聞や本を読んでいたり、ぼーっと考え事にふけっていたりする。

その間、乗客の意識は自分の内面に移っている。車窓を眺めていても、そこに映っている風景も出来事も、高速で走りぬけていく列車の中にいる自分には、無関係な世界の風物である。もしも死者の意識というものがあれば、自分が死んだ後には、きっとこんな風にこの世の出来事を眺めることになるのだろうなあ、と思わせる。これは一種の超越の感覚である。

鉄道に特有なこの不思議な感覚は、先を急いでばかりの新幹線が列島を駆け抜けるようになってから、だいぶ弱くなったように思える。しかしそれでも、この不思議な感覚を忘れられない人々は、わざわざ在来線に乗って、古典的な超越の感覚を味わおうとしている。鉄道ファンの中でももっともディープな趣味の持ち主である、「乗り鉄」の人々である。

乗り鉄の人々は、自動車が与える自由なドライブの感覚よりも、座席に居場所を制限されたまま、決まった線路の上を決まった時刻どおりに走っていく、鉄道の不自由のほうを愛している。鉄道の旅客になったときから、その人には進路の自由はほぼ失われている。個人の自由を重視する近代人ならば、自分の判断でルートを変えていくことのできる自動車の旅のほうが、より豊かな体験を与えてくれる、と思えるのだろう。ところが、乗り鉄の人々は、そうは考えないのである。

## 乗り鉄の実存主義

鉄道愛好者の多くは、自動車が与えてくれる自由の体験は、ほんものの自由ではないと考えている。それは個人の小さな意識の生み出す、小さな自由の感覚にすぎない。そういう自由を否定して、鉄路が定めるより大きな「法《ダルマ》」に身を委ねていくとき、人間はもっと大きな自由を体験することができる、というのが乗り鉄の秘められた哲学である。

乗り鉄の無意識にとって、鉄路は宇宙的な法の比喩なのである。その法に身を委ねることができるならば、個人的な妄想で人生の行き先を捻じ曲げていくこともなく、間違いのない人生の道を歩むことができるかもしれない。

鉄道はふつうの乗り物とは違うのである。
それは死者のたましいの乗り物に
もっともふさわしいと宮沢賢治は考えた

しかも、車窓をぼんやり眺めている間、乗り鉄たちの意識は内面に向かって沈潜しているから、旅客の間に共同体意識が芽生えることもない。これが飛行機だと、乗客は乗り込んだ瞬間から、見知らぬ人々との一種の運命共同体の一員とならざるをえなくなる。その点、鉄道の乗客はひとりひとりはバラバラな個人のままで、全員が線路の象徴する宇宙の法に身を委ねているわけだから、これはある意味りっぱな「実存」である。大げさな物言いの好きな私が言いたいのは、乗り鉄は潜在的な実存主義者であるということだ。

## 軽便鉄道の宮沢賢治

宮沢賢治の『銀河鉄道の夜』には、こういう乗り鉄の実存哲学がじつにみごとに表現されている。主人公がどこからともなくやってきた銀河軽便鉄道に乗り込んだのは、亡くなった友のたましいを追ってである。たましいの行方を追うのには、自動車や飛行機ではだめで、どうしても鉄道でなければならない。それは亡くなった友のたましいに会うためには、宇宙の法が定める線路に、乗り込んでいかなくてはならないからである。

生物は死ぬと、生の世界での自由な活動を可能にしていた体が、動かなくなってしまう。そして死の瞬間から、たましいは宇宙の法の定める冷徹な線路を走る、「バルド」*の列車に乗り込まされる。その列車に乗り込むと、もう自由な進路変更はできなくなる。それぞれの生物が、あらかじめ決まっている座席に座って、車窓の風景にじっと見入っている。

そういう列車は「軽便鉄道」のように重々しくない乗り物だろう、というところが、宮沢賢治という詩人のセンスのよさである。死後の世界の乗り物は、軽い実体でできたたましいを運んでいくのであるから、おおかたの予想に反して、軽快なものでなければならない（このあたり、いままで作られた日本のアニメなどに描かれた銀河鉄道の機関車と列車の重量感に、私は少し疑問を抱いている）。

そしてなによりも驚かされるのは、座席に座ったたましいたちがじっと見入っている、車窓の風景である。広い草原に入ると、あたり一面にりんどうの花が咲き乱れている。りんどうの花は、漏斗《ろうと》の形をしていて、まるでアインシュタインの相対性理論の説明に出てくる、光円錐のように見える。それがつぎつぎと後方に軽々と飛び去っていく。あのりんどうの花のひとつひとつが、かつて生命であったものの姿を示している。その様子を、銀河鉄道の乗客という究極の「乗り鉄」たちが、じっと見入っている。

鉄道は近代に生まれたあらゆる乗り物のうちで、もっとも深遠な含蓄をはらんだ体験を与える。今後どんな仕組みの乗り物が発明されたとしても、鉄道のもつこの深い実存性を凌駕するのは難しい。

＊「バルド」は「中有」をあらわすチベット語。死んで間もない意識が体験する中間状態のこと

# ａｂｃ予想

## 数学とミトロジー

数年前から、数学好きの間では、ひとつの噂が熱っぽく語られていた。京都大学の望月新一氏が、現代数学の難問中の難問と言われる「ａｂｃ予想」に、完全な証明を与えるのに成功したらしい、という噂である。ａｂｃ予想は数論にかんするきわめて専門性の高い予想である。

この予想は、ａ＋ｂ＝ｃ（ａ、ｂ、ｃは互いに素な自然数）という数式で、ｃのとりうる値の近似値を、ａとｂの積の値から決めることができると言おうとしている。この予想が正しいとなると、「フェルマーの最終定理」をはじめとする、他の数学の未解決大問題を解決できる見通しがついてくる。そこで数学者たちは、この予想をなんとかして証明しようとしてきた。その難問を、望月氏が新しい方法を使って証明したというので、数学者だけでなくたくさんの数学ファンまでが、固唾を飲んで発表を待っていたのである。

それほど専門性の高い数学の話題に、ミトロジーが口出しする理由もないし、口出しできる能力もない。しかし望月氏が開発した数学の「新しい方法」を覗き見てみると、そこにはミトロジーの根本問題にかかわる、重要なアイデアがしめされているのがわかる。そこで今回は、そのアイデアだけに話題をしぼって、現代数学の最先端でおこっていることとミトロジー思考のつながりを、あきらかにしてみることにする。*

## 掛け算と足し算

望月氏が手掛かりとした根本のアイデアは、掛け算と足し算という、私たちがふつうに使っている計算の方法の中に潜んでいる「違い」である。掛け算では元の数に別の数を「作用」させて、新しい数をつくっている。ところが足し算では、二つの数を足し合わせる時、数どうしの間にはなんの「作用」も起こらない。元の数の性質はそのままで、ただ加えられていく(加算される)だけである。掛け算と足し算は、それぞれで使われる知性の働きが、根本的に異なっている。

しかしそのことはこれまでの数学では、問題にされたことがなく、二つの異質な演算をごちゃまぜにしたまま、数学の思考はおこなわれてきた。それでも大きな問題は起こらなかった。ところが現代数学が「リーマン予想」とか「ａｂｃ予想」とかに取り組みだすと、「数」というものの根本的な性質を問いたださなくてはならなくなってきた。とりわけａｂｃ予想では、ａ＋ｂ＝ｃとして、掛け算と足し算のつながりそのものが、むき出しのかたちで表面に出ている。

ミトロジーの側からの応援を
当事者の数学者はさぞや迷惑に感じることだろうが、
彼の発想を数学の領分だけにとどめておくのはもったいない
（写真は望月新一氏）

そこで望月氏は、これまでごちゃまぜにして使われてきた掛け算と足し算を、分離することを考えた。二つの演算は、それぞれが違う知性の働かせ方から生まれている。もっと言うなら、二つの違う知性空間をつくっている。この二つの知性空間は、これまでは混交されていたが、それを分離してみると、まったく新しい数学の思考が生まれてくるにちがいない。

ａｂｃ予想の解決としてはじめられた、このような望月氏の数学での試みは、ミトロジー探求者の関心を、はげしくかきたてる。それはミトロジーの思考が、人間の知性の働きを、掛け算型の「レンマ」と足し算型の「ロゴス」とに分離して考えてきたからである。掛け算型のレンマ知性では、あらゆるものごとはたがいに「作用」しあい、相互につながりあっていて、そのつながりあいは宇宙全体に及ぶ。

ところが足し算型のロゴス的知性では、世界はブロックを積み重ねるようにして、論理的に構築されていく。人間の心では、このロゴスとレンマが共同して作業をおこなう。しかしミトロジーは、この二つの型の知性は分離することができるし、また二つを分離してみなければ、人間の心は理解できない、と考えるのである。そのような思考の急先鋒が、ほかならぬ仏教である。

## 数の根源に

西欧では古代ギリシャ以来、加算（足し算）型のロゴス的知性がおおいに発達した。そこで生まれた数学も、ロゴス型のロジックを基本にした。ところが仏教の生まれた東洋では、知性のおおもとはロゴスではなく、掛け算型のレンマであるという考えが、中心だった。

仏教ではあらゆる事物は、互いに関連してつながっているという「縁起」の考えが発達したが、これはすべての事物が掛け算型に「作用」しあっていることを示している。そこでどんな「数」も、お互いに関連しあい、「作用」しあっていると考えられた。そこから「同じものはない」「同じに見えるものもじつは違う」という考えが育った。

望月氏の「新しい方法」では、いままで数学に登場したことのない、この「同じものはない」の思考法が導入されて、これまで数学を支えてきた「違うものの間にある同じものを発見する」ロゴスとの二本立て（バイロジック）で、数学の難問題へのアタックが敢行されたのである。こういう二本立てロジックでないと、「数」の根源には到達できないからである。

とうぜん、激しい反発も巻き起こった。そういう思考が、これまでの数学の基礎を壊すという危機感を抱いた数学者も多かった。しかし将来の数学が、時間はかかるだろうが、望月氏の見ている方向に向かって進んでいくことは間違いないだろう。大シスマ（東西分裂）は、少なくとも思想の領域では乗り越えが可能であってほしい、とウクライナの戦争を見つめながら、私は願う。

＊本稿は加藤文元氏による解説書『宇宙と宇宙をつなぐ数学　ＩＵＴ理論の衝撃』（KADOKAWA）を参考にしている

# 低山歩き復活

## 高山から低山へ

山歩きの新しいトレンドとして、「低山歩き」が復活しつつある。ちょっと以前までは山ガールも山中高年も、こぞって名山や高山をめざしたものであるが、その山ブームの勢いがコロナ禍でいったんそがれたあと、人々の関心は暮らしにより身近な低山へと移りつつある。

それを反映してか、テレビ番組の『にっぽん百名山』に並行して、『にっぽん百低山』が始まった。名山から低山へ。この変化はなにを示しているのか。この流れがたんに登山者の高齢化に応えるものだとしたら、たいして面白いことはない。しかし目を日本の登山史に向けてみると、そこにはもっと深い意味が隠されていることがわかる。「日本人はなぜ山に登ったのか」という問いへの、本質的な答えが、そこには示されている。

純粋に山に登ることを目的として「登山」ということを始めたのは、日本では山岳で修行をした「山伏」たちであるが、彼らの登山にはさらに古くからの原型がある。縄文時代の人々は、山麓や平地で定住生活をおこなうようになった。このとき、若者が一人前の大人になるための「イニシエーション」の儀礼の一環として、若者の山入りがおこなわれた。

縄文人にとって、山は聖なる野生の空間だった。彼らはよほどのことでもないかぎり、山奥深く入り込んでいく危険をおかさなかったし、ましてや高山の頂上をめざすこともなかった。そのかわり平地と奥山の中間にあたる「端山《はやま》」に祭祀場を設けて、そこでイニシエーションの儀礼をおこなった。

## 山伏は低山に登った

この儀礼で、若者は「二度目の誕生」を体験しなければならなかった。たんに生物としてこの世界に生まれてくるだけでは不十分で、人間は鳥類のようにもういちど自分を覆っている殻を破って、精神的存在として生まれてくる必要がある、というのが、縄文の思想である。その儀礼をおこなう場所として、里と奥山との中間にある端山に、その祭祀場がつくられた。

平安時代の後期あたりから、文化や政治の日本化が進んでくると、この土着の縄文的な儀礼を、高級な仏教文化で組み立て直した、「修験道」というものが生まれてきた。これを担ったのが「山伏」と呼ばれた人々で、彼らは平地につくられた大きな寺には所属せず、国家の認可も得ようとしない、いわば仏教の「パンク」のような人々である。この山伏たちが、縄文時代以来の各地のイニシエーション祭祀場に行場《ぎょうば》を設けて、修験道を始めた。日本の登山史はそこから始

名山から低山へ。志が低くなったのではなく、
登山の原点へ戻ることによって、
むしろ日本人の世界観が取り戻されようとしていると、
思うことにしよう
（写真はNHK『にっぽん百低山』より）

まった。

山伏はその修行場を高山にではなく、縄文以来の伝統を守って、端山の低山につくったのである。このなかで一番早く修験道を始めたのは、越の国（福井）に育った川の民の子である泰澄《たいちょう》であった。泰澄はのちに白山へ登って、そこを修行の場にした山伏として有名だが、もともとの修行場は「越知山《おちさん》」という、海抜六百メートルほどの低山だった。そこが古くからのイニシエーションのための修行場だったから、泰澄のような宗教革命家でも、まずはそういう低山で、山伏修行を始めたのである。

出羽の国（山形）の羽黒山もそういう低山である。ここは修験道の中心地として名高い山だが、月山や湯殿山や鳥海山のような名山ではない。山から流れ下った無数の沢が、随所に複雑な谷をえぐっている端山である。ここで山伏たちは、鳥のように「二度目の誕生」をめざす修行をおこなった。古い自分はいったん死んで、山中で精神的にもういちど生まれ直すのである。

## 低山の豊かさ

そうやって生まれ直したあと、山伏たちは月山や白山や鳥海山のような高山へ登山した。低山である端山での生まれ変わりをへなければ、神の領域である高山に踏み込むことはできない、というのが山伏思想である。いきなり高山に踏み込むことを、山伏はしなかった。低山をじっくり歩いて、古い自分の殻を脱ぎ去ってからでないと、高山への登山はあまり実存的な意味を持たなかった。

端山に登ってみると、平地の景色が一望できる。私たちはそこで日常の暮らしを送っている。背後には深い森に覆われた奥山が控えている。平地と奥山と、二つの領域の中間を歩くのが、低山歩きである。二つの領域のどちらにも属さず、双方に適度に距離を取りながら、どちらのものでもない稜線を歩いていく。日常の暮らしが「生」のものならば、奥深い自然は「死」の領域に属する。低山歩きでは、生と死の中間を歩いていく感覚が得られる。

この「中道」の感覚を、日本文化は大事にしてきた。いきなり0か1かに分別してしまうのではなく、0と1の中間に広がっている無限に豊かな自然の世界を、大切にしようとした。こういう低山歩きに比較してみると、はじめから高山・名山を目指す登山は、合理的なデジタル思考に近い。そうなると高山も名山も、日常世界をそのまま延長した空間に属してしまって、登山の喜びは日常生活を拡張したものになってしまう。

低山歩きの復活が、日本人の世界観をもういちど蘇らせるきっかけになれば良いと思う。低山歩きの喜びは、現代世界が見失ってしまった大切なものを、いっぱい保存している。

# 第九と日本人

## クリスマスでも歌合戦でもなく

年末が近づくと、日本人の心は妙に落ち着かなくなる。意味もなく忙しい感じにせっつかれるばかりで、「この季節はこれ！」という決め球に乏しいからだ。

たしかにクリスマスはある。しかし多くの日本人はその日キリスト教会へ行って、厳粛なミサや礼拝に参加するわけでもなく、ただ家族や恋人と食事をしたり、贈り物を交換したりするだけで、いったいこれはなんの祭りだったのか、よくわからない現状が続いている。

ところが、昔の日本人はこの季節を「霜月」と呼んで、とても大切に考えていた。霜月には多くの村々で「霜月祭り」がおこなわれた。この祭りは、十一月から十二月にかけて二月あまりもかけておこなわれ、この期間に、たくさんの神々が訪れてきた。祖霊もいれば、なまはげのような鬼もいれば、アマノジャクのようなトリックスターもいる。神々は崇高なオーラを放ちながら出現して、人々を畏れさせた。霜月はじつに厳粛で、人を「締まった気持ち」にさせる季節だったのである。

こういう霜月の祭りがなくなってから、日本人の年末はなんとなく締まらないものになってしまった。にぎやかな歌合戦をやってから神妙な顔をして除夜の鐘突きに移っていくのでは、人類に普遍的な「祭りの文法」は逆さまにされてしまう。初詣そのものが人混みに会いに行くようなもので、そこには神々の来臨の感覚がまるでない。

## 鬼による第九

そうしたとき、日本人のなかに眠らされていた「霜月祭り」の感覚を呼び覚ます、非伝統的な新しい行事が出現した。宗教を持たないと言われる日本人が、ベートーヴェンの交響曲第九番を聴きに行くという形で、年末に静かで厳《おごそ》かな感覚をなんとか取り戻そうとしたのである。この交響曲はべつに年末用に作曲された音楽ではないが、かつて霜月祭りに登場していた祖霊や鬼のかわりに、日本人の「年末の儀式」の決め球として、欧州から呼び寄せられた。それというのも、この音楽が、鬼の臨在を感じさせるからである。

この交響曲は、当の欧州でもその初演の頃からすでに、「鬼《デーモン》のつくった音楽」と感じ取られていたようである。じっさいそれはその頃「音楽の鬼」と畏れられていた欧州の英雄が、その晩年に集大成のようにして生み出した大作であり、また音楽じたいが、宇宙的な「デーモンスピリット」に充ちていた。作曲家自身はすでに聴力を失っていて、半分この世の者ではないような存在

新しい慣習の深層には、かならず古いミトロジーの
構造が潜在している。西欧からやってきたものも、
構造さえ同じなら、無意識は差別せずに取り込んでしまう

になっていた。

音楽は、宇宙の震えるような脈動から開始される。脈動はしだいに大きなうねりとなり、ついに宇宙がその姿をあらわす。その宇宙を揺るがして、半神半人のデーモンが力強い舞踏を開始する。しばらくするとあたりに静寂が戻り、人間の出現を待つ。そして「おお、友よ！」と呼びかける人間の声が響きわたり、合唱隊とともに人間の理想を歌い上げるのである。

この音楽は、神の音楽のようではあっても、けっして宗教のものではない。人間のものでもない。神と人間の中間であるデーモンがつくりだした宇宙に、人間という存在が生まれ、その人間が友愛による相互理解に達しようと願って、音楽を奏で、歌っている。

第九の普遍性は、この「デーモン（鬼神）性」によるのだと、私は思う。デーモンが煩悩に充ちた生命を生み出している。煩悩に充ちているから、救いを希求する。そういう第九であればこそ、アフリカの小国の国歌に選ばれたこともあり、欧州連合（ＥＵ）を象徴する音楽ともなってきた。そしてその音楽は、鬼の祭りのある日本で、年末恒例の儀礼曲ともなった。

西欧から輸入されたものとはいえ、ベートーヴェンの交響曲第九番は、このような意味で日本人にとって、霜月の祭りの空白を補うには、じつに最適の音楽なのである。年末の歌合戦に登場してくるような世俗の音楽ではない。そうかといって、天上の清らかな音楽というのでもない。宇宙を揺るがすデーモンが、自分の仲間である人間を元気づけようとして歌っているような音楽だ。

## 日本人の無意識

その様子が、霜月の祭りに登場していた鬼たちと、そっくりだと、私は思うのである。新年が始まる直前には、一年の間に溜まった宇宙の汚れを、その力強い舞踏で清めてくれる、鬼が出現してくれなくては困る。人間が陽気に飲んだり歌ったりするだけでは、世界の浄化は不可能であり、それには鬼の臨在が必要である。

そのような日本人の無意識が、年末の第九演奏を、これほどまでに守り立ててきた。宗教は持たないかわりに、日本人にはそういうことを鋭く感知できる無意識が備わっている。交響曲第九番に棲みついているデーモンと、冬が霜月と呼ばれた時代に来訪してきていた鬼が、意外と近しい間柄であることを、この無意識は感じ取ることができる。

そのことに気がつくと、昔のことには拘泥せず、さっさと新しい似たものに乗り換えてしまうことができる。そうやって日本人は、近代化の荒波を乗り越えてきた。しかし心の深部で作動している無意識は、破壊されていない。

# ウクライナの戦争

## 大シスマ（東西分裂）再び

ロシアと西洋の対立の根は深い。一見すると両者は同じヨーロッパ人種のように見えるが、その精神と文化の内部に立ち入ってみると、大きな溝《みぞ》が両者を分け隔ててきた。その溝はベルリンの壁の崩壊以後、グローバリズムによって、いったんは埋められたかのように見えた。だがロシアによるウクライナ侵攻が起こってからは、それは再び巨大クレバスに広がっていこうとしている。

ロシアと西洋に、分裂の最初の兆候が見られたのは、中世のキリスト教におこった「フィリオクェ論争」である。初期のキリスト教では「父である神」と「子であるイエス」と「聖なる霊」とが、三位一体をなすという教義がつくられた。そこでは、この三者は異なるものでありながらも同格で一体をなすという神秘的な「三位一体論」こそが、正しい理解であるとされてきた。

東方教会では、神と子と聖霊の個別性が重視された。表面的ななめらかなつながりよりも、深いところで内在的につながっているという、なんとなく凸凹した無骨な考えである。そこでは聖なる霊は父である神から流れ出す、と考えられた。ところが西方教会がその無骨さに異を唱え始めた。東方教会で「聖霊は父より発する」と唱えているのを、西方教会は「聖霊は父と子から発する」と言い換えてしまった。そうなるとたしかに三位一体はぐっとスマートになる。

ところがたった一言「(父) と (子)」と付け加えたことで、東西が分裂する大問題に発展した。この「と」はラテン語で「フィリオクェ (Filioque)」という。東方教会が問題にしたのは、この「と」を加えてしまうと、父と子が同質な基礎材のようになって、そこから聖霊が流れ出てくるようなイメージになることである。これは神秘的な三位一体を合理的な理解につくりかえ、キリスト教を安っぽい宗教にしてしまうと、猛反対した。

西方教会にしてみれば、正しいけれども難しい教義などというものは、布教の妨げになるだけで、現実的にいいことなどちっともないから、合理的に改造すべきだと主張した。この問題はこじれにこじれて、ついにコンスタンチノープル、のちにはモスクワをも中心とする東の正教会と、ローマを中心とする西のカソリック教会との大分裂にまで、発展してしまった。「大シスマ(分裂)」と呼ばれるこの事件をきっかけとして、ヨーロッパの東西分裂が、まずは思想のレベルで、現実になってしまった。

人類の抱える諸問題は
グローバリズムによっては解決されないことが、
ウクライナの戦争によって再び明らかになった。
力によっても経済によっても解決されないのである

## アジア的なロシア

神秘的思考を好む傾向にある東方教会の中心は、ロシアのモスクワに置かれ、やや薄っぺらなところもある合理的思考を好む傾向の西方教会は、その中心をローマに置いた。ロシアは地政学的にはアジアに属する。この「フィリオクェ問題」であらわになった東方教会のものの考え方は、アジア的な思考の特徴をよくしめしている。

西方世界では、合理的なロゴスが普及していったが、東方のアジアではそれとは違うレンマの思考*が発達していた。レンマの思考法では、ものごとを直観によって全体的に理解するやり方がもとめられる。たとえロゴスから見たら不合理なことでも、全体性の中に飲み込んでしまうのがレンマである。そこで東方では、キリスト教の神であっても、不合理的な三位一体論のほうが好まれた。

ロゴスとレンマは、人間の脳の構造にセットされている、二つの異なる知性の型をしめしている。このうち西洋世界はおもにロゴス的な知性のほうを発達させ、アジア世界はレンマ的な知性にもとづく文明を築いてきた。ロシアはからだの半分はヨーロッパにありながら、その「魂」の部分はアジアに属することによって、その文明と人々の心は、ロゴスを逸脱するレンマ的な特質をそなえていた。ようするにロシアの「魂」はどこか芸術的なのである。

「ロシアの魂」というロシア人の好きなこの言い方には、西洋とは異なる自分たちの心性と文明への自負が込められている。そして西洋とアジアの境界領域に歴史上くりかえし発生してきた、いくつものトラブルの原因を探っていくと、たいていの場合、ロシア的な原理と西洋原理との違いが、浮かび上がってくる。

## ウクライナ問題の深層へ

日本人はアジア人として、ほんらいならロシア人の置かれてきたこの複雑な状況や困難をよく理解できる立場にあるはずである。日本人はロゴスを器用に使いこなすことができる能力を持っていると同時に、レンマによってつくられた情緒的心性を抱えて、現代世界でサバイバルしてきた民族である。私たちの心の中では、まだロゴスとレンマのつながりは、断たれていない。

そういう日本人ならば、いまヨーロッパで起きているロゴス的西洋とレンマ的ロシアの分離・対立に発するウクライナ問題にたいして、欧米とは異なる理解を持つことができるはずである。世界の東西への「大シスマ」は、グローバリズムなどによって簡単に乗り越えられるものではない。それが人間の心の深層構造から発しているからである。私たちはすさまじい情報戦の向こう側に抜け出て、ウクライナ問題の深層を見通すことのできる目を、持ちたいものである。

＊詳しくは中沢新一『レンマ学』（講談社）をお読みください

# 戦闘女子

## セラフィマまで

甲冑に身を固めたジャンヌ・ダルクから、ナウシカや超合金戦闘スーツをまとった綾波レイをへて、スターリングラード攻防戦の狙撃手セラフィマ*にいたるまで、戦闘する女子のイメージは、ファンタジーの中で息の長い生命力を保ち続けている。それはこのイメージが、私たちの無意識に深く根を下ろしているからである。

これをこれまで男性が独占してきた活動領域に、女性が対等な立場で進出してきたことの証という程度のものとみるならば、私たちは戦闘女子というイメージの価値を、低く見積もっていることになる。このイメージは、人間の無意識にセットされた、重要な原型を示しているのだ。

この原型は、戦闘女子のイメージをとおして、男性原理によらない戦争というものの可能性を思考しようとしている。人間はこれまで、戦争と男性性をほぼ一体のものとみなしてきた。男たちが武装して、共同体の女性や子供たちや年寄りを守るために、敵と戦うのである。重い武器を担いで、長距離を移動したり、ごつい機械を操作したり、敵と直に遭遇したときには筋力をフルに駆使して格闘する。そういうことができるのは、体力に勝っている男性にかぎる、というのが、戦争と男性性を一体と考えてきた常識の根拠である。

## 男性によらない戦争

しかし、人間の無意識はもういっぽうで、戦争と男性性はもともと別物で、男性原理によらない戦争も可能なのではないか、とも密かに思考してきた。男性が中心となって社会や国家はつくられ、そのおおもとになる権力を、長らく独占してきた。この歴史的過程の中で、国家や社会の権力は「戦争」という別原理の活動領域を、細胞中のミトコンドリアのように、自分の内部に組み込んできたのである。

権力は世界に秩序を与えて、固い組織をつくろうとする。それにたいして戦争は、できあがった秩序を壊して、ものごとを流動化させることをめざす原理にもとづく。そして、戦争の帰趨《きすう》がはっきりしたところで、勝ったほうの権力が新しい秩序をつくる。こうして戦争は権力に呑み込まれ、長いこと一体になってきた。そのために、もともと権力とは違う原理を持つはずの戦争までが、男性性と一つのものであると、信じられてきた。

ところが、人間は無意識の中で、男性的権力と戦争の原理は別物ではないか、と感づいていた。男性の権力に組み込まれていない状態の、純粋な戦争の原理を考えることが可能なのではな

戦闘女子のイメージの噴出は、
もういいかげん男性＝戦争の結合体を
解体すべきである、
という人類の生き残りをかけた
無意識からの信号である

いか。そこで生まれてきたのが、女性戦士のイメージである。筋力の不足は技術や鍛錬によって補うことができる。兵器の扱いや乗り物の操縦なら、むしろ女性のほうが上手かもしれない。すばやい身ごなし、機敏な頭脳に関しては、男女の間に大きな違いはない。

こうして、まずファンタジーの世界で、戦闘する女子の活躍する物語が生まれた。男性＝権力＝戦争という三位一体が壊れ、戦闘女子のイメージが、新しい生命観と新鮮なエロティシズムを放ちながら、ファンタジーの世界に華々しい浮上をとげている。

ファンタジーの世界に起きていることは、遠くない未来にかならずや、現実のものとなる。世界の秩序を揺るがして流動化する戦争の原理は、いずれ男性性の支配から解き放たれるときが来るだろう。男性性によらない戦争の実現は、戦争と平和の概念を、根本から変えていくだろう。戦闘女子のイメージは、その日に向けたイメージトレーニングを、準備しているのである。

## 同志少女の撃つべき敵

男性性と戦争の結合が生む、もっとも由々しい現実が、性暴力の問題である。戦争は平常時の秩序が一時的に無効になる時間をつくりだすので、その間、社会ルールが働かなくなる空白が生ずる。市民の暮らす空間に兵士が入り込んでくるとき、市民への暴力行為に及ぶことがあり、その最中に女性にたいする性暴力が発生しやすい。

戦争と男性性が切り離されるとき、このような戦時下における暴力の性格には、大きな変化が起こるに違いない。戦闘女子が男女の市民にたいして性的な暴力を振るうという事態は、考えにくいからである。人類の男性は、猿から受け継いだ多くの弱点を持つ動物である。グループ内での順位への強い関心や、優位性を演ずるためのマウンティング体質、他者を服従させようとする欲望、弱いものいじめなど、こうした猿以来の特質が合わさって、人間の権力欲が生まれている。こうした男性的特質を、ファンタジー中の戦闘女子の多くは、心から嫌悪している。

男性性のくびきから自由になった戦争の原理は、行き詰まった現実の秩序を蘇らせるための、創造的破壊行為として、新しい意味づけを持つことになるだろう。戦闘女子のファンタジーは、人間の無意識の中で眠り込まされてきた、この純粋戦争の原理を呼び覚まそうとしている。「戦争を消滅させるためには戦争によらなければならない」という言葉**は、戦争から男性性を切り離すための別の戦争によって、これまでの戦争そのものが終わるという認識を示していると理解するとき、はじめてまともな意味を持つようになる。同志少女が撃ち抜こうとしていたのは、まさにそこである。

*逢坂冬馬『同志少女よ、敵を撃て』(早川書房)
**レーニンの言葉

# 『マトリックス』と仏教

## アメリカ文化のなかの東洋

アメリカ文化への東洋思想の浸透の深さには、いまさらながら感心させられる。じっさい『スター・ウォーズ』全篇には、禅思想や古武道の精神が流れ込んでいるのが見えた。とくにその最終篇にいたっては、虹の身体になって消えていくルーク・スカイウォーカーの最期の姿などに、チベットのゾクチェン思想*までが登場し、この映画の製作陣の知的素養の幅広さを窺わせる。

一九五〇年代のビートニクスの運動あたりからはじまり、ニューエイジの時代をへて、東洋思想はすでにしっかりと、アメリカ文化に根付いてしまっている。それと比較すると、日本人をはじめとして現代のアジア人の多くが、東洋思想を満足に知らない、名前ばかりの「東洋人」になっているような気がする。

『マトリックス』シリーズになると、その感はいっそう強くなる。ポーランド移民の子孫でトランスジェンダーでもあるウォシャウスキー兄弟（姉妹）によってつくられたこの映画では、根本のコンセプトそのものが、東洋の仏教思想なのである。

大乗仏教では、この世界は妄想的知性によってつくられている、と説かれている。この妄想的知性は、ものごとを二値論理（0と1によるデジタル論理）で処理する「分別知」のスクリーンをとおして、世界を見ている。しかし現実は二値論理などでできていないから、とうぜん分別する知性は、現実世界を見ていないことになる。それが妄想世界をつくる。大乗仏教は、このようにつくられた妄想世界からの脱出をめざす思想である。この仏教思想が、『マトリックス』では換骨奪胎されて、みごとな娯楽映画になっている。

## いたるところのマトリックス

「マトリックス」という知性存在は、二値論理で作動する「機械」である。この機械は分別的な認識力を人間の心に注入して、妄想された世界こそが「現実」であると思い込ませている。

妄想世界は快楽原則でできているから、そこでしか幸福は追求できないという「常識」を、人間たちに植え付けている。マトリックスの見せている仮想現実＝妄想世界は、富と力に支配される世界でもある。しかし妄想は、人間の脳の構造そのものに深くセットされてあるから、人間は妄想世界の外があることに、めったなことでは気がつかない。マトリックスは人間の心のあるところ、いたる場所で作動している。資本主義が盤石なのは、そのためである。

そこから落ちこぼれたものたちは、イメージ豊かな妄想世界からはじきだされて、富も力も貧

仏教思想をエンターテインメント化したら
『マトリックス』になった。アメリカ文化の力業である

弱な現実界に放り出されることになる。『マトリックス』ではこの現実界の貧しい住人たちが、豊かな妄想世界に戦いを挑んでいる。妄想世界に挑戦する仏教思想と、現実界の貧しい住人たちとは、この映画の中で完全に重なり合っている。

いまでは想像しにくくなっているが、もともと仏教とはそういうラジカルな思想だったのである。禅のような瞑想が発達したのも、それで心を覆っている妄想的な知性の働きを弱めようというためであり、サンガという修行者の共同体が財産を捨てたりするのも、妄想の生み出す富と力の魔力から、遠ざかろうとしたためである。つまり大乗仏教がその昔にやろうとしていたことは、『マトリックス』のネオやトリニティーが、現代においてやろうとしていることと同じ、妄想からの自由を実現することだった。

アメリカ文化に深く吸収された東洋思想は、古い宗教の殻を脱ぎ捨てて、マトリックスという妄想的な「機械」に支配されている世界に立ち向かっていく、ラジカルな思想としてよみがえろうとしているように、私には思える。

## 未来への戦略

しかし一点だけ、仏教と『マトリックス』の違いがある。仏教では妄想を生み出す心と真実を見る心（真如）とは、同じものだと説かれている。妄想は真実を見る心から生まれ、そこから養分をとって生きている。だから妄想の中から真実を見る心が育ってくれれば、妄想は消え去っていく。妄想と戦う必要はなく、へたに妄想を敵と考えて戦ったりすると、ますますそれで妄想の生命力は増していくのだ。

ところが『マトリックス』では、妄想をたえまなく生み出しているマトリックスと、そこからの覚醒をめざす者たちとは、激しいバトルを繰り広げなくてはならない。しかし戦っている者どうし、見分けがつかなくなって、解決不能な矛盾のなかで、物語は終結を迎えることになる。

ここには西欧世界のものの考えの土台をなす、「二元論」の強力な作用が働いている。妄想界をつくりだすマトリックスという「機械」は、人間の心から生み出されたのであるから、ほんらいは心と機械は敵対者などではないのである。ところがそこに「二元論」が働くと、心と機械はたがいに切り離されて、敵対しあうようになる。あるいは機械が人間を超越した「神」になっていくという、シンギュラリティの妄想が発生する。『マトリックス』にはその「二元論」が忍び込んでいて、せっかくの仏教思想を侵食している。

どうやら人工知能の現代にもういちど、マトリックスに対抗できる思想として、仏教がよみがえってこなければならないようである。

＊「虹の身体」はチベット仏教で重要な意味を持っている。身体そのものを光の波動に戻していくという考えで、主に「ゾクチェン」という教えの中で詳しく説かれている

# IV

# ポストヒューマンな天皇

## 昭和天皇の実践《プラクティス》

かつて日本人は、昭和天皇が「象徴天皇」というものの像を、自ら創造しようと苦闘されていた姿を、じかに目撃していた。

天皇は敗戦のあと、生命の危機すらあった状況をかいくぐって生き延びたものの、皇室財産は根こそぎ奪われ、政治的権力のいっさいを失った。私は神ではなく人間である、と宣言して、人間の地位に戻ったのもつかの間、こんどは新憲法によって、象徴天皇という、なにやら不可解な地位につかされることになった。

実質的な政治権力をもたない存在だから「象徴」というわけなのであるが、その頃この象徴天皇なるものが、いったいどういう存在なのか、これを具体的に知る者など一人もいなかった。象徴天皇は人間なのだから、国民に向かって言葉を発せられるだろうが、いったいどんな口調で話しかけたらよいのか。国民のほうから話しかけられたら、どうやって返事をしたらよいのか。なんの実質権力ももたない、裕福ですらない存在でありながら、天皇としての威厳を保つためには、どんな振る舞いが求められるのか。

こうしたことのいっさいに、正解がなかった。新憲法は、「象徴天皇というものを演じてください」と頼んだだけで、役柄の内容については、昭和天皇にほぼ丸投げされた。昭和天皇はいわばゼロから、この象徴天皇というものの像を、自らつくりあげていかなければならなかった。試行錯誤の連続で、はじめの一、二年間はぎこちない対応も見られたが、あるとき「ユーレカ！」の瞬間が訪れたのであろう、国民の前にあの微笑ましい「天皇スタイル」が登場したのである。

## 第三の領域

持ち前の知性の鋭さは、ぜったいに表に出さない。国民の言葉には「あ、そう」と、やさしく返答して、肯定も否定も加えないで、その人の存在だけは大肯定する。発言に意味を確定するような内容が含まれてはならないが、奥ゆかしい含意には富んでいる。こうして昭和天皇は、世界にも前例のない象徴天皇という存在を、ほとんど独力で造型した。「私」へのこだわりを捨てた、無私の精神でこれを実践する天皇の姿に、国民の多くが深い敬愛の念を抱いた。

このとき昭和天皇が自ら創出したのは、神でもなく人間でもない、存在の「第三の領域」としての象徴天皇の像である。この第三の領域に生きる者には、たいへんな知性と覚悟が求められる。神のように人間から超然としてはいられない。しばしば国民の間に立ち交じって、言葉を交

象徴天皇という存在は日本国憲法によって
つくられたものではない。
昭和天皇の必死の実践行動によって
はじめて具現化され、その姿に打たれた
国民との共創になる政治作品である

わしたりもしなければならないが、そのときも人間的水準に降りてきてしまってはならない。

第三の領域に生きる者は、人間でありながら人間の仲間であることを否定しているのだから、とうぜん彼のことを悪く言う者もいるだろう。しかしそんなことにすら、反応を示してはならない。人間的感情の外に立っていることができなければ、第三の領域に踏みとどまることはできない。その人に天使の羽でも生えていなければ、象徴天皇というものを演じきることは、きわめて難しいわざである。

この第三の領域には、人間中心主義（ヒューマニズム）の考えが、入り込んでくる余地はない。神は世界の中心ではなく、人間も世界の中心などではない。それだから、世界の中心に人間的な意味などは詰まっていない。世界の中心は、からっぽの「空虚」である。このからっぽの空虚に、美しい形式を与えることにおいて、象徴天皇は最高の権威を発揮する。

## ヒューマニズムの侵入

そういう意味において、象徴天皇という考え方は、地球環境に危機をもたらしている人間中心主義を乗り越えたところに生まれる、未来の「ポストヒューマン」の時代に、大きな示唆を投げかけることになるだろう。日本人は、このような制度を、皇室といっしょにつくってきた。それは国民と皇室との共創になる、一つの作品である。今日、天皇の制度に意味があるとしたら、そのことをおいてほかにはない。

昭和天皇がつくりあげた、このポストヒューマンな象徴天皇の像は、平成と令和の両天皇によって、それぞれの流儀でなぞらえられ、維持されてきた。中心部に空虚がすえられているこの構造は、日本人の精神構造ともみごとにフィットしているために*、国民はごく自然に、皇室を敬愛することができた。

ところがその敬愛の情が、いま大きく揺らぎ始めているのを、私たちは感じている。ポストヒューマンな象徴天皇の像に、月並みで頭の悪い人間中心主義（ヒューマニズム）が侵入して、国民と皇室が共同でつくりあげてきた、象徴天皇制というひどく頭のいいせっかくのミトロジー作品を、台無しにしてしまおうとしているからである。

「個人の自由な意志」などは、世界を統べている理性《ロゴス》の前では、まことにちっぽけなものにすぎないというのが、象徴天皇の考えを上から支えている、根本思想である。ましてやその「個人の自由な意志」を言い張ったお方が、間違った相手をつかんでしまったと気がつけば、天皇制を下から支えている国民が、ネットに盛大に落首を上げるのは当然の行為で、それを誹謗中傷などと批判することのほうがむしろ恥ずかしい。

＊河合隼雄『中空構造日本の深層』（中公文庫）

# フィリップ殿下

## 王には道化が必要である

道化論の創始者であった人類学者の山口昌男はつねづね、我が天皇制には道化の要素が欠如していると憂いていた。王の権力（王権）は社会に秩序をつくりだす働きをする。秩序を打ち立てるためには、そこに収まりきれない異分子たちを排除しなければならない。

そうなると社会からデコボコが除かれて均質になる。均質な要素を秩序づけるわけだから、社会は流動性を失って権威化する。そこで社会は、反秩序的要素を造形して、「道化」として秩序の中に組み込むことをする。そうやって流動的で無秩序な要素を、社会の中に取り込むのである。

山口昌男があきらかにしたのは、世界中の王権を見てみると、王のかたわらに必ず道化が寄り添っていたことである。王がなにか偉そうなことを言うと、道化が傍から現れて「なんちゃって」とまぜかえす。宴にはべっては、しじゅう冗談を言って、王をおちゃらかす。ときどき限度を踏み外してふざけすぎると、手ひどく罰せられることもあるが、たいていそれは見かけだけで、道化は裏でこっそり舌を出している。その様子は、シェークスピアの戯曲で存分に楽しむことができる。

王権には道化がつきもので、そういう道化がいるかぎり、その社会には笑いや余裕の生まれる余地ができる。ところが道化的な要素を取り除いてしまった社会は堅苦しく、生きづらい。日本の社会にはそういう道化が少なすぎるのではないか、というのが、山口昌男の憂慮であった。早い話が、日本の「王」である天皇の制度には、あきらかに道化の要素が欠けている。

## エリザベス女王とフィリップ殿下

それにたいして、シェークスピアによって描き出された「王権に組み込まれた道化」というミトロジー的構造が、現代の英国王室にみごとに継承されているという瞠目すべき事実を、私たちは長年にわたって、エリザベス女王の御夫君フィリップ殿下の立ち居振る舞いをとおして、存分に堪能させていただいた。十三歳のエリザベス女王が、一目で恋に落ちて結婚し、以来七十年にわたって、なかば陰の存在として女王を支えてきた方である。

このフィリップ殿下の血筋、経歴、容姿、運動能力と、どれをとって見ても、この方を「道化」と呼ぶのははばかられるかも知れない。しかし殿下がひとたび口を開かれるとき、英国王室伝統の道化の原理が発動し、世の常識人たちを驚倒させるいくたの目を剝く「問題発言」が、そ

2021年４月９日99歳でお亡くなりになった
フィリップ殿下は、端正な外見とは裏腹に、
天才的な道化的才能の持ち主であり、
女王の背後にいて英国王室を裏から支えた
エリザベス女王は、2022年９月８日
96歳でご逝去された

の口からこぼれ落ちてきたのである。

ほんの一例をあげよう。ケニアで地元の女性から歓迎の贈り物をうけるとき、「あなたは女性ですよね」（一九八四年）。中国でイギリス人留学生にたいして、「ここに長く滞在すると、みんな目が細くなるでしょう」（一九八六年）。オーストラリアで成功したアボリジニーの起業家に、「あなたがたはまだたがいに槍を投げ合っていますか」（二〇〇二年）などなど。

現代ではマスコミを拡声器とする常識が、社会の王者である。どんな有名人でも、うっかりこのコードを踏み破ったが最後、社会からの猛攻撃にさらされる。しかしフィリップ殿下のこれらの問題発言は、英国においては攻撃の対象とはほとんどならなかった。王族だから大目に見られていたのかというと、それだけでもなく、国民は殿下の発言を一種のタブーの侵犯として楽しんでいたふしがある。フィリップ殿下の発言の意味するものは、息苦しい社会的秩序に、突如侵入してくる人間の「本音」であり、もっと言うと、文化的秩序が恐れている野放図な「自然」の闖《ちん》入《にゅう》である。

英国王室は「王」が女性であることによって、もともと王権に自然的な要素を組み込んである。その女王とペアとなるフィリップ殿下は、みずから道化の自然的機能を実践することによって、この王権にさらなる柔軟さと深さをもたらしてきた。英国王室が人々に愛されているのは、フィリップ殿下が演じておられた、「秩序に組み込まれた道化」というこの人類学的構造によるところ大である。

格調高い王室に、王権の持続性のために必要な道化の機能をマイルドに取り入れる。英国王室はこのことに一定の成功を収めてきた。ところが我が皇室にはなかなかハードルの高い要求である。真摯で真面目であることをひたすら求めてきた皇室には、フィリップ殿下のような破天荒な発言を期待することは、とうていできない。

# シャリヴァリの現在

## 歳の差婚を撃て

「シャリヴァリ」はフランスの古い習俗で、近年ではほとんどおこなわれなくなったとはいえ、その記憶はフランス人の脳裏に深く刻まれている。その習俗は、家族と性と結婚の本質に触れているため、いまでもその国では、社会学や人類学の興味深いテーマとして、研究がおこなわれている。

歳とった男性が若い娘と性的関係をもち、結婚することになったりしたときに、このシャリヴァリが爆発する。結婚の日が近づくと、村の若者たちが徒党をなして、新婚の家を取り囲む。彼らは手に手に、大音響をたてる「騒音楽器」を携えている。そして家の中に隠れている老人と若い娘のカップルにむかって、すさまじい騒音を撒き散らし、罵詈雑言のかぎりを投げつけるのである。*

若者たちは、この威嚇行為によって、老人と娘の結婚を、現実に取りやめさせようというのではない。彼らは象徴行為をおこなっているのだ。老人と娘が取り結ぼうとしている性的関係や結婚は、宇宙を循環しているエネルギーの流れに、いちじるしい阻害を与えようとしている。その行為は、まるで宇宙の調和を破壊する「騒音」のようだ。

宇宙のエネルギーが順調に流れていくためには、若い娘は同じ世代に属する若者と結ばれることによって、秩序立った交換サイクルをつくっていかなければならない。ところが、そこに貪欲な老人が横から割り込んできて、娘をサイクルの外にさらっていってしまった。

その貪欲な行為は、日食のときに太陽を食らって、世の中を真っ暗にしていく魔神のようにいじきたない。そこで旧石器時代から人類は日食のときには、天にむかってすさまじい「シャリヴァリ」の騒音を投げつけていた。それと同じ発想法で、フランス人たちはかつて、歳の差婚にむかって、抗議のシャリヴァリをおこなった。

## 家族の秘密

シャリヴァリという習俗は、家族と性の危機に立ち向かおうとしていたのである。家族は性のレギュレーション（統御）をおこなうことを、重要な務めとしている。家族の中には、父と母だけでなく、年頃の娘や若い息子が抱え込まれて、一つの空間に生活している。

そこではさまざまな形をした性的欲望が、至近距離で接触しあっている。そのため家族内でぜったいに意識に上らせてはいけないものとして、「インセスト」の話題がある。これは言葉にし

シャリヴァリの戯画。
この儀礼はデリケートな性の問題を
あっけらかんと社会の問題にしている点で、
いかにもフランス人好みと言える
（戯画は『『アナール』論文選１　魔女とシャリヴァリ』
2010年、藤原書店より）

てさえいけないものとして、現代の家族においては「タブー」のうちに封じ込められている。家族というものは、インセスト・タブーというめったに意識化してはならない絶対的な掟の上になりたっている、あやうさをはらんだ制度である。

そういう家族から、年頃の娘が適当な相手と結婚して家を出て行くことは、家族内に充満していた性的テンションを、解放することになる。ことに父親は心理的に楽になれる。ところがその娘が、老齢にさしかかっているよその男と性的関係を結んだり、結婚することになったりすれば、家族とそれを取り巻く社会には、それまで社会全体で伏せておいたはずのインセストの主題が、あからさまに露呈されることになる。

そのときシャリヴァリの爆発がおこる。若い娘と結婚しようという老人の貪欲さによって、父親の守ってきたタブーが、破られてしまった。そのことがあからさまになったとき、社会は「嫌な感じ」におそわれる。伏せておいたはずのインセストの魔力によって、社会全体が汚染されるように感じられるからである。

## 未来のシャリヴァリ

どんなに家族の形態や機能が変わってきても、「家族の秘密」の最深部には変化は及ばない。そこが、人間が動物として生殖をおこなう場所だからである。社会や文化は、その上につくられる。現代の社会は、社会や文化の領域で、徹底的な自由化を推し進めた。ところがこの秘密の部分だけは変わっていないものだから、人間は動物領域からの突き上げにたいして、きわめて無防備な剝き出しの状態にさらされている。インセスト・タブーは、いま世界中であやうい時代にある。

いつどこでシャリヴァリが起きても、おかしくない状況である。じっさい日本でもこのところ立て続けに、インセストないしそれすれすれの事件が多発している。もっとも多いのは、養父が同居しているまだ幼い養女と、性的関係を結ぶというもので、相手が同意していればいいかという問題ではなく、あきらかにこれは騒音楽器の攻撃に値する。国会にも、五十代の男と十四歳の少女の性交の法的是非を問う議員があらわれ、いったい何が問題なのかわからないままに、炎上しまくっている。

「インセストはいいものだ。家族の外に出ないかぎりは」という、かつて『プレイボーイ』誌に登場した扇情的な記事（米国・一九六五年十月号）は、現在ではシャレの域を超えたリアリティをもちはじめている。** かつてミトロジーの世界では、インセストの問題は、おおっぴらに論じられてきた。そろそろ我々もこの問題に蓋《ふた》をしておくことは不可能とあきらめて、新しい性のミトロジー、新しいシャリヴァリのやり方などを、真剣に考えなければならない時代に入っている。

*A. V. ジュネップ『現代フランス民俗学便覧』第九分冊

**この言葉はクロード・レヴィ＝ストロース『神話論理』（みすず書房）第四巻の巻頭辞に選ばれている

# 家族の秘密

## スパイになった家族

『ＳＰＹ×ＦＡＭＩＬＹ』のフォージャー家では、家族全員が秘密を抱えていて、自分の秘密が暴かれないよう、おたがいを騙し合って暮らしている。父親は「東国（オスタニア）」の精神科医であるが、じつは「西国（ウェスタリス）」の送り込んだ諜報部員である。妻は市役所の事務員であるがじつは殺し屋、娘は某組織のつくった超能力者《エスパー》である。彼らはもともと縁もゆかりもない三人だが、ひょんなことから、家族をつくることになった。

この三人は、他者の所有物を盗んだり、奪ったりすることを、共通の特技としている。スパイは敵国深く侵入して、重要な情報を盗むことを、生業《なりわい》にしている。国の重要な情報は、権力の中枢部に集まっているものだから、スパイたるものは、その国の上層階級にふさわしい振る舞いをしながら、機密を盗むのである。

殺し屋の妻は、他人の生命を奪うことを生業にしている。そのことは人に知られてはいけない。超能力者の娘は、人の心の中にしまわれている思考や感情を覗く能力を持っている。尋問したり拷問したりしなくても、相手の頭の中にあることが読めてしまうので、これも他人の機密を盗むことに等しい。こういう三人が家族をなして、協力し合っているわけだから、東国は「三倍能力（トリスメギストス）のスパイ」の侵入を許していることになる。

この「三倍能力のスパイ」は、平凡な家族を装って、東国の内部に棲みついて、情報や生命などさまざまな機密を盗み取り、盗んだものをせっせと西国へと送っている。もっとも妻と娘は、自分たちの行動がスパイ行為に貢献しているとは思っていない。彼らが「家族」をなしていることで、妻も娘もりっぱなスパイ行為のお手伝いをしていることになっている。

## 家族は秘密を必要とする

このフォージャー一家がいま大人気なのは、「家族は秘密によってなりたっている」という、人類史の真実をあからさまにしているからであろう、と思われる。家族は男女が出会って結ばれることから、その歴史を開始するが、結婚前のおたがいの歴史については、秘密にされていることが多い。相手に秘密があるらしいことを感づいていても、そのことは黙って見過ごしてやるというのでなければ、結婚生活などやっていられない。

そのカップルにできた子供にしても、自分の意識がはっきりしてくる以前のことは、知るよしもない。べつに自分から望んでこの世に生まれたわけではないのに気がつく前に、もう名前まで

社会は透明であることをめざし、
家族は不透明な秘密の中に自分を隠す。
家族は国家の中のスパイである
（©遠藤達哉／集英社）

勝手に決められて、家族の一員にさせられている。子供はしかたなく、「子供用」として用意してある役割を演じることで、家族の一員に収まることができる。

それに両親は子供が見ている世界のことがわからない。大人は子供の見ている世界の記憶を、すっかり忘れてしまっているからだ。こうして子供は自分が感知している世界について、大人にはしゃべらないほうがいい、と思うようになる。子供は多かれ少なかれエスパーの能力を持っているのだが、家族の中で子供の役を演じているうちに、だんだんその能力を失っていく。

秘密やコミュニケーション不能は、家族のなりたつ条件なのである。家族は不透明な土台に支えられていて、コミュニケーション不能を抱えているがゆえに、家族のまとまりをつくれている。そこに愛が発生するからである。フォージャー家の奇天烈《きてれつ》な構成は、じつはあらゆる家族が抱えているこの不透明な土台を、コミカルに表現したものにほかならない。

## 自由への道

フォージャー家はこういう家族として、東国に棲みついている。国家は多少怪しいと思ってはいても、彼らがひどい失敗でもしでかしてボロを出さないうちは、彼らの家族の中に踏み込んでいって、家族の秘密を暴露することなどできない。どんな独裁国家でもそれをやらかすと、命を縮めてしまう。国家と家族は「逆立」した存在どうしで、国家には、家族の土台にすえられている不透明な秘密の部分を、情報開示にさらして透明化してしまうことは許されない。

それゆえ、家族の秘密は、家族が国家から自由であるための条件をなしている。社会の底部には、無数の家族から漏れ出てくる不可知の雲が、分厚く堆積している。そのため、官僚や政治家が頭の中でこしらえ出した、理性的かつ透明なプロジェクトをそこに押し付けようとしても、根強い抵抗にあって、早晩挫折していくことになる。それは二十世紀の偉大な透明化への国家プロジェクトであった、社会主義の失敗によくあらわれている。じっさい現代中国人でさえ、プライバシーの表面的な情報にかんしては、国家の管理に委ねてもよいと考えているが、家族の秘密にかかわるもっと重要な情報は、不透明な雲の中に隠しておこうとしている。

現代では、フォージャー一家の生き方こそが、自由への道を開くのである。個人や家族という秘密の部屋を透明化して、公共の場への情報開示に委ねてはならない。私たちは家族の中にあって秘密の保持にいそしみながら、不透明な雲をとおして、たがいの間に愛を育んでいくことができる。これが『ＳＰＹ×ＦＡＭＩＬＹ』の教訓である。

# キラキラネームの孤独

## 競走馬のような名前

日本人の子供の名前のつけ方は、今日ますます競走馬の名前のつけ方に、近づいている。かつては人間の子供は、まずは人間の共同体に属するものと強く意識されていたので、人間に与えられるべき一団の名前の在庫の中から取り出された名前をつけられるのがふつうだった。ところが最近の日本人は、自分の子供が共同体に属しているよりさきに、核家族の所属物として、独立した個人のように生まれてくる、と考える傾向が強い。そうすると、無意識のうちに、親たちは自分の子供に競走馬のような名前をつけ始めるのである。

競走馬は、ほかの動物よりもずっと個体性が強く、しかも競走馬が集まって「馬の社会」というものを形成することがない。「それは人間の産業が作り出すものであり、またそのために特に設けられた種馬飼養所で、並列的に、それぞれ独立した個人のように生まれまた生活している」*

競走馬はまた、ペットのように人間社会の一部に組み込まれてもいない。それは、競馬の仕事で暮らしている人びとや、競馬場に通う人びとの作る特殊社会のための存在で、広い共同体には属していない。こういう競走馬のもつ特殊な非社会的性質が、ユニークな命名体系を生み出す。

飼い犬はむしろ人間社会の一員でもあるから、人間用の在庫とは少しだけ違う「犬専用の」一連の名前の在庫の中から選び出される傾向がある。そのためあまり突飛な名前は好まれない。ところが競走馬は、特殊社会の中で生まれ育った「独立した個人」として、極端に個別化の度合いの高い、たとえばアーモンドアイやテイエムオペラオーのような、どことなく高級文学的な、慣例を破壊した独特な名が与えられる。

この競走馬の命名法と、最近の日本人の子供への命名法の間には、あきらかな並行関係がある。人間の子供はそこでは、社会から切り離された核家族という特殊社会の中に生まれ育てられるから、競走馬と同じように、社会的存在であるよりも、独立した個人としての非社会的性格が強くなる。そうなると両親は無意識のうちに、自分の子供にありきたりでない、慣例破りの名前をつけたくなる。こうして周囲から際立ってキラキラと輝く、高級文学や流行のコミックの主人公のような個性的な名前が、子供たちに与えられるようになる。そのときそれまで採用されてきたような、社会への帰属性を強く示す名前は、時代遅れとして、没落していくことになる。

## 奇天烈な書記法

そこに漢字の魔力が加わることによって、日本人のキラキラネームは、ますますその輝きを増

キラキラネームの盛行は核家族の原理が
日本ではもはや限界に近づき始めていることの
兆候を示している

していく。日本人は漢字が中国からもたらされて以来、それに比較的自由な「ふりがな」を与えてきた。中国語の発音に忠実な「読み」を与えるのではなく、和語の音と勝手にくっつけて、視覚的には漢字だが、音声的には和語という、奇天烈《きてれつ》な書記法を編み出してきた。

この傾向はごく初期の「万葉仮名」の頃からすでに顕著で、「やへがき（八重垣）」という和語に「夜幣賀岐」という漢字を宛て、「足乳根」と書いて「たらちね（母）」と読ませたりした。当時の中国人は、日本人の漢字使用法のあまりの身勝手さ、あきれるほどの自由さに、さぞやびっくりしたことであろう。

ところが日本人は、漢字というこんなにすごい書記メディアを与えられたというのに、格式に縛られることなく、早くからそれと遊ぶことを覚えていたのである。漢字にどこか威厳が感じられることは、日本人も知っていた。しかしそれに当の漢字からは思いもつかなかったような「読み」が与えられると、厳しそうにしていた漢字ですら笑い出してしまう。偉そうなものと戯《たわむ》れるのが、日本人は好きなのだ。

## 自由と孤独

こうしてつくられた「漢字＋和語音」の結合体は、慣例を容赦なく破壊し、威厳あるものを玉座から引き降ろし、唯一無二の意味作用にキラキラと輝く、オンリーワンの自由な個性を際立たせることになる。

漢字とみたら戯れないではおかない、このような日本人の心性の伝統が、今日のキラキラネームの氾濫のおおもとである。どこの世界に「男」と書いて「あだむ」と読ませたり、「ゆらり」に「夢姫」という漢字を宛てたらさぞすてきだろうなどと思いつく民族があるだろう。ましてやそんな言語的戯れの産物を、我が子の名前としようなどと、おおまじめで考える国民は世界にもめずらしい。

競走馬の命名法を生んだのときわめてよく似た無意識の思考が、我が子にオンリーワンの名前を与えたいという願望を生み、その願望が漢字に自由な読みを与えようとする、日本人独特の遊戯精神に結びつくと、そこに突飛きわまりないキラキラネームが生まれてくる。

キラキラネームを与えられた子供は、生まれたときから共同体的規範をはみ出した、唯一無二（オンリーワン）の存在たれ、と期待されているようなものである。それでいて、現実には、命名者である親たち自身は、長いものには巻かれろ、偉い人たちの心の内を忖度して、まわりと摩擦をおこさずに、うまく人生を漕ぎ渡っていこう、などと考えがちな日本人である。

かくしてキラキラの名前を与えられて、子供たちは孤独の海へと船出していくのである。

*ウルトラマンの愛読書でもあるクロード・レヴィ＝ストロース『野生の思考』（みすず書房）では、鳥類、犬、牛、競走馬の各命名体系の詳細な比較分析がおこなわれている

# 愛のニルヴァーナ

## 北への降臨

韓流ラブストーリーの中心テーマは、失われてしまった対称性とコミュニケーションの回復ということにあるが、『愛の不時着』ほど、このテーマをユニークな設定のもとに、徹底して追求したドラマは、過去にも例が少ない。このドラマは、強力なミトロジーの論理によって、動かされている。韓流ドラマにおいては、古くから人類が認識してきたように、愛は現実ではなく、ミトロジーの領域の出来事なのである。

このドラマは、対称性が失われた現実の状況から開始される。北朝鮮と韓国は、もともとは同じ民族でありながら、社会制度に関するかぎり、まったく反対の方向を向いて、対称性が失われてしまっている。*そのせいで、両者のコミュニケーションは、多くの面で断絶されてしまっている。そこに突然、なんの前触れもなしに、両者を媒介なしで結びつけてしまう「事故」が起こった。

韓国の大財閥の令嬢が、制御を失ったパラグライダーに乗せられて、非武装地帯に舞い降り、北朝鮮軍のパトロール隊と遭遇してしまう。資本主義にどっぷりつかった韓国財閥の令嬢は、革命意識堅固な北の兵士たちにとっては、世界観も価値観もまったく反対方向を向いている相手である。とうぜん、はじめのうちはすれちがいばかりで、コミュニケーションがなりたたない。ただヨーロッパに留学経験をもつ美男の中隊長と、こっそり隠れて南のドラマやゲームを見ている若い兵士だけが、彼女との間にか細いコミュニケーションの回路を開いている。令嬢はこのパトロール隊員たちによって、北朝鮮の村にかくまわれることになる。そしてしだいに、両者を隔てていた、非対称性の壁が崩れだすのである。

## 対称性の回復

まず「女性」の軸をとおして、対称性の回復がおこなわれていく。令嬢は南に送り込まれた北のスパイという触れ込みであったから、女性らしいおしゃれや食べ物への興味をつうじて、村の女性たちとの間のコミュニケーションが実現されていく。

つぎに「若さ」の軸をとおして、若いパトロール隊員たちと令嬢との間の、非対称性の壁が崩れていく。堅固なイデオロギー教育によっても、若者の好奇心は抑えつけることはできない。若い隊員たちは、令嬢の中に温かい心を発見して、惹かれていくようになる。

令嬢の心にも、しだいに大きな変化が生じてくる。それまでは想像したこともなかった北朝鮮の庶民たちが、質素な生活と厳しい統制下にありながら、人間らしい温かい心情の持ち主である

『愛の不時着』の真の主題は
非対称性の壁の除去である。
韓流ラブストーリーのロマンティシズムは
この作品によって一つの頂点を極めた

ことに、彼女は気づく。それどころか、激しい競争と人間不信に取り囲まれていたいままでの生活では知ることのできなかった、素朴な人間性に触れて、いきいきとした感情が、よみがえってくるのを感じた。

さらに決定的なのは、彼女が北朝鮮のエリート層に属する中隊長と、深く愛しあうようになったことである。このことによって、ドラマは全面的な対称性の回復へ向かって、突っ走っていくことになる。表面上は、中隊長と令嬢との恋愛エピソードに、関心は注がれていくことになるが、深いところでは、二人の恋愛も、さまざまなレベルでおこっている、「愛」の障害の除去というテーマの一表現にほかならない。

さまざまな愛が、非対称性の壁を壊していくのである。韓流ラブストーリーは、透明なコミュニケーションを阻むいっさいの障害を除去して、世界に対称性を実現していこうとする、強烈なロマンティシズムに貫かれている。このような情熱は、我が国のラブストーリーにはめったに見られないもので、民族の分断を生きている民族と、あいまいな一体感の中に生きる民族との違いに、その原因を見ることができよう。

## ニルヴァーナとしてのスイス

さまざまな妨害、陰謀、誤解などをのりこえて、二人の恋は成就されようとするが、最後の障壁が二人の前に立ちふさがる。心情のつながりだけでは、いかんともしがたい、社会体制の違いという非対称性の壁である。北と南に分かれて住む恋人たちは、自由にコミュニケーションを交わすことができない。

韓流ラブストーリーのテーマは、阻むもののない透明なコミュニケーションの実現である。そのような透明なコミュニケーションは、現世では実現されえない。仏教では、すべての存在が自由自在にコミュニケーションし合っている世界を、「ニルヴァーナ（涅槃）」と呼んでいる。『愛の不時着』は、恋人同士が透明な回路で結び合うそのようなニルヴァーナを、スイスに設定するのである。

かつて財閥令嬢は世をはかなんで、「美しい景色の中で死にたい」と思い、スイスで自殺しようとしたが、そのとき留学中の中隊長と、最初の出会いをしている。『愛の不時着』にとって、スイスは死の世界に近いニルヴァーナなのであり、愛の成就と死とのロマンティックな結合を示している。

世界との透明なコミュニケーションの実現は、死に近づくことでもある。このことは古代神話からワーグナーの『トリスタンとイゾルデ』にいたるまでの、世界中のミトロジーに描かれてきた真実である。韓流ラブストーリーのパワーは、このミトロジーの源泉近くにいることによって、もたらされている。

＊「対称性」については中沢新一『対称性人類学』（講談社選書メチエ）を参照されたい

# 「人食い《カンニバリズム》」の時代

## そして食が残った

長く続く巣ごもり生活の最中に、多くの人があらためて「食」の重要性に気づいた。他人に会う機会が減れば、おしゃれより大切なのは食である。

会話をしながらの食事も減っていけば、意識は目の前の食べ物とそれを食べる行為に集中していくようになる。こうして生存にとって最重要な少数のものごとだけが残ることになり、その中で食がもっとも大切であることに、多くの人が気づきはじめた。

もっともこういう事態になる以前から、食はシャープな問題を突きつけていた。増え続ける世界人口、気候変動が農業に与えるダメージ、農薬の大量使用による健康被害、肉食の急拡大のせいで起こる穀物不足……人はなにかを食べるたびに、外部の環境世界から取ってきたものを、自分の体内に摂り入れるわけだから、食べる行為を通じて、人は地球環境とひとつながりになっていく。

こういう感覚が、食の重要性が増している今日、ますます鋭くなっているように私は感じる。体の「外」にあったものを嚙み砕いて、自分の体の「内」に取り込むという食べる行為は、意識するしないにかかわらず、「内」と「外」との区別にたいする感覚を敏感にしている。

コミックや映画で、いま「人食い」が流行のテーマとなっているのは、そのことと無関係ではない。人食いは自分の体の内に、同類（自分の「身内」であり「内」側の存在である）の肉を取り込むことを意味している。私たちの社会では、このような「内－食*」は嫌悪されている。それをコミックがわざわざテーマにすること自体、食べる行為にひそむ矛盾や欺瞞が、この高度消費社会の中であらわになりはじめていることをしめしている。

## 人食いの流行

じっさい最近ヒットしているコミックのいくつかが、人食いをテーマにしている。『鬼滅の刃』では、人間性の「外」に押し出された鬼が、人間を捕食しては自分たちの仲間につくりかえていた。鬼にされた人間は、それ以前にはタブーとされていた人肉食いを、平然とおこなうようになる。それ以上にすさまじいのは『進撃の巨人』の場合で、そこではカンニバリズムが作品の世界観の中心主題にまで高められている。

そこでは黙示録的状況を生き延びた人間たちが、城壁に囲まれた狭い領域に押し込められて生きている。城壁の「外」は、特異な進化をとげた生命体である巨人たちの領域で、巨人たちは防

人食いのテーマは人間の実存の真実に触れている。
社会が忘れさせようとしているこの真実が、
現代のコミックによってあらわにされる
（諫山創『進撃の巨人』［講談社コミック］第１巻第２話より）

御を破ってしばしば城壁の「内」に侵入しては、手あたりしだい人間を捕食していくのである。

そこで人間の置かれている状況は、容赦のない残酷なものだ。人間は城壁の「外」からときおりあらわれる進化生物＝巨人によって殺され、巨人の同類たちによって食べられていく。『進撃の巨人』が私たちに思い出させようとしているのは、「人間もまた食べられうる存在である」という、もう長いこと忘れられてしまっていた人類学的真実である。

## コミックがあらわにするもの

人間がかつて同類の遺体を食べていたことは、多くの考古学や人類学の研究によって確証されている。人食いの現場にじっさいに立ち会ったという人類学者はいない。しかしさまざまな証言や物的証拠を見る限り、人食いがけっして例外的な実践でなかったことは、まず間違いがない。

古代や未開の社会には、重要な人物が亡くなると、その親族や友人たちが遺体を生のままあるいは煮込み料理にして共食していた事例がある。

これは亡くなった人の遺品を親族に分配する「形見分け」という今日でもおこなわれている習慣と似た精神をもったもので、死者の残した最大の「遺品」とも言える遺体を食べることによって、生きている者が自分の体の「内」に、亡き人の存在を取り込み、尊敬や愛情の証とした行為と理解できる。

また戦争で打ち倒した敵の遺体を、勝者たちが食べる（このケースでは肉は焼かれることが多い）

という事例も、数多く報告されている。この場合も敵の戦士の勇敢さを讃えながら、厳かな人食いの儀式が挙行される。

かつて人間は、動物を殺して食べることと人間を食べることとの間に、絶対的な区別をおいていなかった。そこでは人間と動物は、もともと同じこの世界に生きる仲間であり同胞であるという感覚がいきわたっていたから、狩猟で動物を殺して食べることは、人食いと同じであると考えられていた。動物の遺体は、人間の遺体を扱うように慎重に取り扱われて、ていねいに食べられた。こういう感覚が失われだしたのは、人間が動物の家畜化をはじめた頃からである。

その意味では、私たちはみなもともと「人食い」なのである。この真実は長いこと社会によって隠蔽されてきた。コロナ禍にコミックを読みながら、多くの読者がこのような真実にさらされた。これはまったく驚くべき光景ではないか。

＊人類学者クロード・レヴィ＝ストロース『われらみな食人種（カニバル）』（創元社）に、卓越したカンニバリズム論が展開されている

# 『孤独のグルメ』の食べる瞑想

## 美味は街中にあり

井之頭五郎とデカルトは似ている。井之頭五郎はひたすら食べ、デカルトはひたすら考える。そして両者は同じ存在の秘密にたどり着く。「私は食べる。ゆえに存在する」と前者は言い、「私は考える。ゆえに存在する」と後者は言う。その認識にたどり着くまで、二人が食と思考というそれぞれの対象に対して、修道僧のような瞑想的な姿勢で向かっていくところも、二人の共通点である。

『孤独のグルメ』の瞑想的食事法を、くわしく見ていこう。井之頭五郎はごくふつうの職業を持っていて、日中は輸入雑貨の仕入れや販売に、たいてい多くの時間を割《さ》いている。そしてようやく仕事がすんだところで、彼の「食べる瞑想の時間」が始まる。「腹が減った」がその合図である。

ここには、いままでの美食探究者たちとは異なる思想を、見ることができる。暑い街中をクタクタになって販売に歩き回っている海原雄山の姿などを、私たちは想像することができない。しかし井之頭五郎にとっては、こういう生活パターンの選択は偶然ではなく、一つの倫理の表明なのである。美味は街中にあり。この格言を実現するために、彼は昼間は働き、仕事が一段落したところで、食べる瞑想に入っていくのである。

日常の仕事と瞑想とのこの交代のリズムは、井之頭五郎をユダヤ教の瞑想家であるカバリスト(カバラーというユダヤ教の秘法の探究者)に接近させる。ほとんどのカバリストは、金属細工師であったり金貸しであったり、とにかく手に職を持っている市民である。中には賤業に近いカバリストもいる。

そして日中の仕事が終わった時点で、彼らは奥の部屋にこもって瞑想的な探究にとりかかる。「神が呼んでいる」がその合図となる。専門の学者や僧ではだめなのである。あくまでも平凡な日常の仕事をこなして、日ごとの活計《たつき》を立ててからでないと、神との対話を始めてはいけない、というのがカバリストの倫理である。この点、街中を歩き疲れたあとでないと、美味しいものには出会えない、という『孤独のグルメ』の思想と合致する。

## 「食べる瞑想」の体系

瞑想に入る前には、それまであわただしく動き回っていた頭を鎮静させて、心が内面に集中していける状態をつくらなくてはならない。このために、井之頭五郎は直感を研ぎ澄ませて、美味

「一人めし」は誰にも迷惑をかけずに、
自分の趣味を貫徹することのできる、
数少ない生活の様式である。
それは瞑想のような厳粛な体系性を
もっていなければならない
(©Masayuki Qusumi,PAPIER/Jiro Taniguchi,FUSOSHA)

しいものを食べられそうな食堂に当たりをつける。ほかのことはいっさい考えない。どの店に入ったら美味しいものが食べられるか。この一点だけに全精神を集中させる。ここでは勘と運が重要である。霊感を受けた彼は、ここだ！　とばかり絶対の自信をもって店の扉を開ける。

席について、メニューを見る。ふたたび意識の集中が求められる。客に出す品目を少数に絞っている店なら、迷わずその店の自慢の一品を選べばよいが、たいがいは気が遠くなるほどにたくさんあるメニューの中から、「今日の一品」を選び出さなければならない。まさに一期一会の「今日の一品」で、井之頭五郎はこれを「人生で最後の食事」のようにして、渾身の集中で選び出す。この集中、ほとんど禅である。

注文がすめば、しばしの休息の時がもたらされる。自分と同じようにこの店を選んだ他の客たちの様子を、共感をこめながら観察する余裕が生まれてくる。このとき、他の客の食べているものが美味しそうに見えて、自分の選択に対する自信の揺らぎが発生することもあるが、そのときは「追加注文」でかわす。瞑想中の自分を、この時間を利用して、客観的に見直すのである。

注文した料理がやってくる。ここからが本格的な「食べる瞑想」の開始である。目で食材の巧妙な配合ぶりを見、鼻で匂いを味わったあと、料理を口に運ぶ。ここから「食べる瞑想」の中心点は、見えない口中に移っていく。食材が噛み砕かれ、唾液と混ぜ合わされると、舌の味蕾《みらい》が食物の分子構造に合わせて味を精妙に分類判断していく。

複数の味覚要素が複雑に混交しあって、微妙な味わいを生み出す。舌触りやなめらかな喉ごしとともに、嚙み砕かれた食物が、喉を越えて、食道に入っていく。ここから先にはもう味覚はないが、なにか自分を豊かにするものが体内に取り込まれたという実感で、人は幸福感を感じる。食物をつうじて、私たちはこのとき世界を愛することができる。

## 世界の片隅で

この幸福の全過程を、たった一人で、他人との会話などという夾雑物《きょうざつぶつ》をいっさい排除して、井之頭五郎は味わい尽くそうとする。イグナチオ・デ・ロヨラにならって、これを食べることによる「霊操*」と呼ぶことができる。

キリスト教の霊操では、人間の小さなエゴを超えて神との合一を図ろうとするが、井之頭五郎の「食べる瞑想」においては、人間的なエゴや他人への配慮や迎合を捨てて、あくまでも自分の趣味と直感だけにしたがって、誰にも迷惑をかけずに、食物との口唇的合一を実現することによって、「自然＝神」との一体化が図られようとしている。これを大袈裟と言うなかれ。日本文化では、このようなささやかな世界の片隅にこそ、神は宿ると考えられてきた。

＊ Exercices Spirituels。イエズス会の創設者ロヨラによる精神訓練法

# 自利利他一元論

## 自利と利他は一つ

自分の利益になることばかりを考える「自利」と、自分のことをさしおいて他人（他者）の利益になることをする「利他」の行為を、はっきり区別するのは、ほんらい不可能である。自利の亡者のやっていることが、知らず識らずのうちに他者を益していたり、利他の行為に励んでいるつもりが、じつは他者を害していたりすることがある。

自然界では「利己的な遺伝子」が、自己の遺伝子を存続させるために、せっせと自利のための行為にいそしんでいる。ところがその利己的な植物の排出している酸素のおかげで、他の生物は生き延びることができ、その植物を食べて動物は生きている。動物の生命も「利己的な遺伝子」の意志に突き動かされている。しかし自然界の食物連鎖のなかでは、死ねば他の生物の餌となって、他者の生命を養っていく。

自分の身のまわりのことしか見ない小さなスケールで事物を見ると、自利にしか見えない利己的行為が、大きなスケールで見ると、自利と利他が目まぐるしく入れ替わる大きな曼荼羅のなかで、一つに溶け合っている様子が見えてくる。事物を見るスケールや切り口の違いで、こちらからは利己的に見える行為が、別の視点からは利他の行為になっていたりする。

だから利己的であることを単純に悪と見なし、利他的であるのを一方的に善と見なすのは、間違っている。自利と利他は分離することができない。それなのに現代では、自利と利他が切り離されていて、循環がうまくいっていないように見える。それによってバランスが崩れだしている。そこでいろいろなところで、利他の精神のよみがえりが求められはじめている。

## 資本主義の自利と利他

資本主義が本格的な稼働を始めた頃、資本家のお金儲け主義が利己主義の最たるものとして、社会主義者や人道主義者たちからの激しい批判を呼び起こした。これにたいして、資本主義の経済学をつくったアダム・スミスは、資本主義は回り道を介した利他主義でもあるという考えを持っていた。資本主義の社会では、分業によって生産がおこなわれる。それぞれの企業は、分業システムのなかで、自分の利益を増やしていくために、徹底して利己的かつ自利的な経営をおこなう。他者は競争相手である。

しかし分業であるから、どの企業も他の会社の製品を部品や原料として購入しなければならない。そのためその企業が儲ければ、生産が拡大して、関係した他の会社への発注も増えて、そち

経済と自然における自利利他一元論の復活には、
これまでのどの「革命」をも上回る、
雄大なスケールのプロジェクトが必要である。
そのためには、子供や若者と成功した大人たちとの
「分断」を、まず克服しなければならない
（COP26のデモに参加したグレタ・トゥーンベリ）

らの会社も潤っていく。それは労働者の暮らしをも豊かにする。こうして徹底した自利の亡者が、多くの他者を益していることになる。資本主義というのは、うまくいけば自利と利他が調和した社会をつくることができる。アダム・スミスは資本主義の初期に、こう考えた。

起業家や商人がはじめから、他人の利益になるような経営をおこなおう、などと考える必要はない。社会全体で富が順調に循環していければ、ミツバチの世界のように、一人一人は自分の利益のことを考えて、せっせと自分の職務を果たしていれば、知らぬ間に利他の行為をおこなっていることになる。

たとえハゲタカのような我利我利亡者であっても、周囲に不幸を撒き散らせる範囲は限られていて、大きなスケールで鳥瞰していると、たとえ自分は滅びても他者を益することができていたことが見えてくる。資本主義の前期には、こういう楽観的な見通しが有力であったので、「君らにはモラルがないぞ」という社会主義からの反論批判にもかかわらず、資本主義は自信たっぷりで、我が道をゆくことができた。資本主義には「自利利他一元論」にもとづく、資本主義独自のモラルがあったからである。

## 利他の未来

しかしいつの頃からか、資本主義の土台にセットされてきた、この「自利利他一元論」がうまく作動しなくなってきた。利己的行為と利他主義とを深部でつないでいた循環の回路が、不調をきたしているからだ。このことが社会全体に「分断」の風潮を生み出している。一元論が二元論に分解をおこして、循環の不調が発生し、そのことで社会全体が分断されているという感覚を、人々にもたらしている。

それと同時に、自然界における循環の不調が、地球的な規模での環境の危機をもたらす、気候変動となってあらわれている。ここでも「自利利他一元論」が、うまく作動しなくなっているのである。自然界の循環は、この一元論によって動かされてきたが、自然から奪うばかりの、人間の旺盛すぎる利己的経済活動によって、自然界への利益還流が止まってしまっている。

そうして見ると、資本主義と自然界とで、同じタイプの不調が発生していることがわかる。人間の経済活動によって、利己的行為が利他につながっていくことのできた回路を断ち切られ、いずれの領域でも、循環の不調がおこっているのだ。

利他の原理の復興に、最近いろいろな方面で注目が集まっているのは、そのためである。資本主義は人間性における自然性の表現であるのだから、資本主義が不調になれば、自然界も不調に陥る。二つの領域を貫いてきた自利利他一元論を取り戻すことこそ、危機への唯一の処方箋であろう。

# V

# サスペンスと言う勿れ

## フラグとその回収

人生はフラグの集積との格闘である。身のまわりに起こる出来事が、自分の人生のファイルのどこに収めたらよいのかわからないフラグとして、次々と到来してくる。この出来事はこういう意味だろうと思っていると、いつのまにか別の顔をあらわにして、予測をはずれて期待の外へと去っていく。

解決のついていない過去の出来事の記憶が、ふいに浮かび上がってきて、不安にさせられることもある。あの出来事は、自分の人生にとってどういう意味を持っていたのだろうかと考えても、わからないことばかりである。人間はそうやってフラグの漂う濃霧の中を、手探りしながら、歩いている。

そういうフラグの濃霧の中を歩むときに、人間がゆいいつ頼りにすべきものは、理性である。理性は浮遊しているフラグとフラグの間に、因果関係を見つけだそうとする本能を持っている。

ひとたび因果関係が見つかれば、フラグはもはやフラグではなくなり、なにかの意味に回収されていき、迷わずに歩いていくことができる。

しかし、どうしても因果関係が見つからず、フラグが放置されたままになっていると、人間はそこで宙吊りの不安を味わうことになる。そういうときフラグがなにかの意味に回収され、不安が解決されることを、人は望む。しかし人間というのは困った生き物で、しばらくするとまたあのヒリヒリするような宙吊りの不安を味わいたいと思うようになる。不安の源泉にまたぞろ近づいていきたいと望む。せっかく意味のジグソーパズルが整ったのに、またそれを崩して、フラグの霧に覆われた状態に、世界を戻して、軽い不安を味わいたいと願望する。

そうしないと、生きている実感が得られないからである。こういう本性を持っている人間を、本源的なマゾヒズムを抱えた生き物であるということができる。そうとでも考えてみないかぎり、「ミステリー」や「サスペンス」を好む私たちの嗜好を、理解することはできない。

じっさいこの本源的マゾヒズムから、ミステリーやサスペンスへの欲望が生まれるのである。ものごとが宙吊りの状態であることが、サスペンスの原義である。ものごとを意味に回収することができずに、フラグのまま放置されていることの不安が、ミステリーを生む。

## 死体というフラグ

名探偵がすばらしい推理によって、バラバラになっているフラグ群を深層でつなぎあわせてい

殺人事件のミステリーをなぜ人は好むのか。
謎解きゲームはなぜすたれないのか。
それが本源的マゾヒズムから
生命を得ているからである
（写真は映画『ファーゴ』より）

る、隠れた因果関係を発見して、事件を解決に導こうとする。ミステリーやサスペンスは、そのような不安の源泉をわざわざ捏造して、人をマゾヒズムの快楽に誘い込み、その快楽がもたらす緊張を、理性による解消にゆだねようとするメディアである。

そういうミステリーやサスペンスで、もっとも重要なアイテムとなるのが「死体」である。どこかに死体が出た！　というだけで、警察は緊張し、探偵は推理のアンテナをピンと立てる。それは、死体こそがこの世で最高のフラグだからである。

死体は生者ばかりでつくられたこの世界の、どこにも居場所を持つことができない。この世のどこにもうまく収納できないのである。死者の霊はあの世に行ったと言ってみたところで、まだ生きている者にとっては、あの世は絶対的に知ることのできない領域なので、しょせん想像の域を出るものではない。この世界のどこにも居場所がないものなのに、最近まで生きていた人の骸《むくろ》として、それがこの世界に置かれている。死体はじつにやっかいなフラグ中のフラグである。

このやっかいきわまりないフラグの周囲を、警察や探偵（素人探偵も含む）の理性が取りかこむ。そして、このフラグを意味の体系に結びつける因果関係の網目を見つけだそうとする（これが事件の解決を意味する）のが、ミステリーにほかならない。こうして、死体のまわりに、「謎」がはりめぐらされることになるが、フラグの群れを意味に回収しようとする欲望は、謎解きの欲望へと、人を駆り立てる。

## 古代性の痕跡

ミステリーやサスペンスの古代性を示す、民俗学の有名な事例がある。[*] ミステリーやサスペンスでは、死体のまわりに謎解きしようとする人々が、群がりよってくるが、この民俗学の事例では、お通夜の晩、死者の遺体のまわりを取りかこんだ近親者たちは、互いに謎を掛け合って解く「謎かけ儀式」を、一晩中おこなわなければならないのである。

古代社会では、お通夜以外のほかの時間に、謎かけをすることは禁じられていた。それは死体のまわりでしか、やってはいけないものとされていたのだ。これは古代人が、死体を社会に危機をもたらすフラグとみなして、そのまわりでフラグを意味に回収する謎解き遊びをすることで、象徴的に危機を解決しようとしていたことを示す実例である。

小説やテレビをとおして、人間はいまも太古の行為を続けているわけである。ミステリーやサスペンスは、人間の心の深層構造に触れる、古代的で根源的な文学ジャンルを形成している。近代の産物である純文学などは、そのうちなくなるかもしれないが、ミステリーやサスペンスは確実にこの先も生き続けるにちがいない。

＊ジェームズ・フレイザー『金枝篇』（ちくま学芸文庫）など

# 怪談の夏

## 太陽と死霊

『ミッドサマー』というスウェーデンが舞台の傑作ホラー映画*をご覧になった方は、真夏の夏至の時期はかつて、生と死をごちゃまぜにする、恐ろしいカオスの時間であったことを、いやでも思い知らされたにちがいない。あの映画に描かれたことは、けっして荒唐無稽な作り話などではない。旧石器時代の昔から、人間は夏至の時間がやってくると、生の世界に死の領域が踏み込んできて、世の秩序が一時的にひっくりかえされてしまう、と考えてきたのである。

地球上のすべての生命にとって、太陽の力が強いか弱いかは、死活問題となる。とくに植物にとってことは重大であったが、その植物に依存して生きる動物にとっても、太陽の力が強すぎても弱くなりすぎても、死の危険にさらされることになる。

象徴を扱う動物である人間は、このことを太陽との距離が「近い」か「遠い」かの問題として考えることにした。太陽との距離が近すぎる夏至と、遠くなりすぎる冬至の時期を、一年の中でもっとも危機的な時間と考えて、いろいろな儀式や神話をこしらえて、危機を象徴の力で乗り越えようとした。

多くの民族はほぼ例外なく、つぎのように考えた。太陽との距離が適切な春や秋の時期には、生の勢力のほうが死の勢力を圧倒しているので、この世界のバランスは均衡を保っている。ところが太陽との距離が、近すぎたり遠すぎたりする夏至と冬至の期間には、このバランスが崩壊して、生の勢力圏が死の勢力圏を抑えきれなくなり、死霊たちがこの世界の中に、どっとなだれ込んでくるようになる。

## 怪談は夏に語るもの

そこで、生者の世界になだれ込んできた死霊たち（ここには先祖の霊たちも含まれる）を、食事や芸能のサービスやときには人身御供（！）などでおもてなしして、おとなしく元の居場所に戻っていただくために、いろいろな方策が考えられた。日本ではそれがのちのち、お盆とお正月の祭りとなっていった。

夏至と冬至には、生と死のバランスが崩れ、おびただしい死霊の群れが、生者の世界を訪れるが、そのときの死霊の受け入れ方が、夏と冬ではおおいに違っている。寒い冬の祭りでは、人は中が空洞になった特別な部屋をつくって、その中に籠もって死霊（祖霊）をお迎えする。これにたいして暑い開放的な夏の季節の祭りでは、家の戸を開け放ったうえで、屋外に出てお迎えをす

最近の怪談語りはますます
「リアル重視」に向かっている。
日本人の怪談好みの歴史は長い
（河鍋暁斎「幽霊図」ライデン国立民族学博物館蔵）

る。この違いが、「怪談は夏に語るもの」というコモンセンスを生むことになった。

夏至の頃、この世は生者だけのものではなくなる。ご先祖様は丁重にお迎えして歓待するのが、子孫の務めだとしても、それに便乗して性格の良い無縁霊たちも、悪戯好きの霊たちも、邪悪な霊たちも見境なく、この世にあがりこんでくるというのが、この季節の困ったところである。

人間のほうも、開放的な夜の雰囲気に誘われて、ふらふらと暗闇の散歩に出かけたり、恋人や友だちと会ったりしたくなる。そういうとき、彼らを生と死の混在する夏至の季節の空気が包み込む。ほかの季節には感じられない、奇妙な波動があたりをおおっている。その波動を感じ取っている人間たちが、死の領域の側からの語りかけをぼんやりと感知する。

そういう構造をした真夏の夜の感覚が、怪談の誕生をうながしたのである。仏教のお盆の行事などが始まるよりもずっと古い時代から、人間はこの季節には怪談を語るのを好んでいた。だから怪談を生みだしたのは、宗教の力などではなく、じつは天空での太陽の位置変化だったと言えるのではないだろうか。

## リアルに触れる怪談

そのことは、現代でも盛んに語られている怪談話についても言える。じっさい三遊亭圓生から稲川淳二まで、怪談語りの面目は、この世との境界が薄い面のようになってしまって、死の領域に触れんばかりになっている夏の夜の感覚に、いかにしてリアルな表現を与えるかということにかかっている。手を触れると、突き抜けてしまうかもしれないような薄い境界をとおして、向こう側にパラレルワールドが、広がっているのかもしれない。この世は、生者だけでつくられているのではないという、真夏特有の実存感覚に、リアルな表現を与える。

ようするに、ただ怖いだけでは、怪談話は成功とは言えないのである。怖いにリアルが加わっていなければならない。架空の世界でおこることではなく、現実の世界にじっさいに存在する場所で、パラレルワールドへの通路が「実在」したという体験が、なによりも重要である。真夏の夜に、多くの人の無意識が感知している空間構造の微妙な変容に、いわば「物的証拠」をあたえるために、怪談話は語られる。

こう考えてみると、怪談話はなかなかに侮《あなど》れない。それはただたんに人を怖がらせるためのB級の作り話などではなく、人間の実存の構造に触れている、ミトロジーの特異なジャンルの作物なのである。怪談話のルーツは、人間と太陽の関係に淵源し、人間の想像力を植物の世界と結びつけている。怪談語りをバカにしていると、人は自然とのつながりを失ってしまう。

じっさいよくできた怪談に比べたら、政治をはじめ現実世界の出来事のほうがよっぽどバカバカしくつくられている。

＊アリ・アスター監督による米・スウェーデン合作映画。北欧の古代異教の儀式に巻き込まれたアメリカの大学生の恐怖が描かれる

# 渋谷のハロウィン

## 死霊の行進

ハロウィンの季節がまた巡ってくる。ハロウィン、感謝祭、クリスマスと続く、一連の欧米の「冬の祭り」の先駆けをなす祭りである。冬の到来を前にして、これから始まる暗く寒い季節の神話的主人公の登場を予祝する。古代ケルト人に由来する異教の祭りが、アメリカに渡った移民たちによって盛んになった。

ヨーロッパの古い形態のハロウィンにおいて、祭りを司っていたのは「死の王」である。夏の間、旺盛な生命を満喫していた植物たちにも、秋になると死の影が忍び寄ってくる。近づいてくる死の影を察知した植物たちは、自分の遺伝子を残すために、さまざまな果実を実らせて、種の散布を準備する。こうして「実りの秋」がやってくるのだが、じつはその季節は死の王の支配の到来を告げている。死がなければ実りもない、というミトロジーが、この祭りの背景にある。

死の王を迎えるために、ヨーロッパの農民たちは、刈り取りを終えた畑に、小さな刈り残しの部分を残して、お供えとする。こうやって豊かな収穫をもたらしてくれた死の王に、感謝の気持ちを表現する。収穫期が終わると、死の王の支配する寒い冬が始まることになる。その直前に、ハロウィンの祭りがおこなわれるのである。

祭りの主役は、さまざまな意匠をこらした死霊たちである。カボチャをくり抜いたランタンに照らし出されるのは、町や村の中を徘徊する、骸骨のダンサーや魔女や恐ろしい姿をしたゴブリンたち。死霊たちは、生者たちがひっそりとお籠もりをしている民家の扉を叩いて回る。生者たちは死霊の群れに、米のプディングやクッキーや飴などを、お供物として差し出さなければならない。そうしないと、来年の幸福がもたらされない、と信じられていたからである。

死霊たちは、生者の世界にとっての「アウトロー」として、町や村をのし歩く。まともな人間の法律など、彼らには無意味である。満足なお供物がもらえなかったりすると、仮面をまとった死霊たちは、しばしば善良な市民たちに乱暴狼藉をはたらくことさえある。この祭りの期間、生者の世界を律している掟や常識は、いったん停止されてしまう。ハロウィンはもともと過激な反秩序性をはらんだ祭りだった。

## 渋谷系進化

アメリカで発達するようになってから、この祭りはずいぶんとマイルドになった。最近ではクリスマスと並ぶ資本主義的消費のための、人工的なお祭り行事となって、世界中に広まってい

被写体への愛情をもった写真家が撮れば、
あの嫌われものの渋谷ハロウィンの死霊たちが、
じつにチャーミングで美しい生き物たちであるのかが
見えてくる（写真提供　半沢克夫）

る。その現代ハロウィンが日本に上陸してから、まだそんなにたっていない。ところが驚いたことに、この祭りは上陸後、渋谷を中心に独特の進化をとげ、いつしか反秩序性をたっぷりはらんだ、古代的原型への回帰をはじめた。ますますおしゃれになる世界の潮流に反して、渋谷では逆に泥臭い方向への逆進化がおこなわれたのだ。

ハロウィンの夜に渋谷のセンター街に、思い思いの怪物的な衣装に身を包んだ若者たちが集まってくるようになった。彼らの大半が、エリートではない。日中は工事現場で働いていたり、夜の接待の仕事をしたり、週末にはヤンキーを演じている若者が主体である。マスコミは彼らの奇抜なかっこうや行動を見て度肝を抜かれ、それに無軌道、無秩序、暴力などのレッテルを貼った。その奇抜ぶりに恐れおののいた市民たちも、このダークモンスターたちを渋谷から追い出そうと結束するようになった。

渋谷ハロウィンの夜は、いわば今日のプロレタリアの夜の祝祭に進化していたのである。そこは現実社会には見出しにくくなっている、非日常の空間をつくりなしていて、その夜だけは祝祭のアイドルに変貌した若者たちが、古代的な聖なる空間を現出させていた。そういう空間が市民社会から嫌われ、規制されるというのも、近代には普遍的な現象であるが、それでも祝祭の噴出は形を変えてこの先もなくなりそうにないと思われた。

その渋谷ハロウィンの夜がしぼんでしまった。新型コロナの大流行によって、現実的な死の影に脅《おびや》かされるようになった社会では、普通の祭礼が中止になるくらいであるから、まして死霊のマスカレードの跋扈《ばっこ》する、象徴的な死の祝祭などを楽しんでいる余裕は失われてしまった。死をめぐる幻想が、現実の死の影によって、制圧されてしまった。

## ハロウィンの回帰

行動制限が要請されているため、人々は密集することを恐れ、互いに距離を保った「離散」が常態になっている。離散は人間の世界に、さまざまな意味の「分別」をもたらす。そうなると、分別を欠いていたアメリカの元大統領はその地位から降ろされ、人間同士の間に分別を超えた融合を生み出してしまう音楽や演劇は、肩身の狭い思いを強いられることになった。

外部から内部に侵入してくるものを、いま人々は極度に警戒するようになってしまっている。そのために社会の胸襟を開いて、アウトローの死霊を迎え入れる祭りなどは、いよいよ歓迎されなくなってしまった。しかし私は、渋谷にあのハロウィンが戻ってきてほしいと思う。渋谷には他の街にはない、死霊を呼び寄せるような無分別な土地の力が隠されており、東京からそういう土地をなくしたくない、と思うからである。

# 鬼との戦い

## 外部性

ここ数年にわたって、人類は「外部性」の跳梁に脅かされ続けている。外部性という言葉はもともと経済学用語で、システムが合理的に作動するために、外に追い出しておかなければいけない要素のことを言う。この外部性がシステムの中に侵入しはじめているのである。

地球環境は以前には外部性の代表だった。経済理論にはそれが組み込まれていなかったし、経営者は大気中の二酸化炭素量を気にしないでも、生産計画を立てることができた。しかしＳＤＧｓが掲げられる現代では、これまで外部性の扱いを受けていた環境要素を、あらかじめ生産計画に組み込んでおかなければならなくなった。経済はいまやさまざまな外部性にさらされている。

それればかりではない。このところ地球全体が新型コロナウイルスの脅威にさらされている。感染症ウイルスは、都市生活にとっての外部性でなければならないはずのものである。都市は人間が密集して暮らす空間だから、安全な暮らしを守るためには、ウイルスはできるだけ外部に排除し、遠ざけておかなければいけない相手だった。ところがその都市に、新型コロナウイルスの感染拡大がおこってしまった。そのことで経済が大打撃を受けている。

外部性が不穏な足音を響かせながら、私たちに迫ってきている。外部性をふたたび外に押し戻して、元どおりの世界を取り戻すのか、それとも外部性を取り入れた新しいシステムへと脱皮していくのか。人類はいま大きな岐路に立たされている。

## 『鬼滅の刃』のマニ教的世界

そういう時代に、『鬼滅の刃』が多くの日本人の心をとらえた。それはこの作品が、現代人の心に不安をかき立てている「外部性の侵入」という事態をミトロジーによって表現し、この事態に積極的に立ち向かっていこうとする意志を、示してみせたからである。日本人は思想を言葉だらけの哲学として表現するのを好まず、イメージ豊富なミトロジーとして表現することを好んできた。そこで危機の予感にとらわれて、コミックがまっさきに走りだしたというしだい。

『鬼滅の刃』の世界を跳梁するのは、「鬼」である。鬼は「人間性」にとっての外部性をあらわす。鬼は無慈悲に人を食らい、嚙みついて血を啜《すす》る。鬼に嚙みつかれた人は、人間性を失って鬼になる。鬼という外部性は、恐るべき勢いで人間の世界を侵食し、放っておけば人間の世界は鬼の世界に反転してしまう。そのような事態を食い止めるために、鬼殺隊が結成された。鬼は人間の能力をはるかに凌駕する動物的超能力をもっているので、それと戦うために鬼殺隊の隊士は、

「鬼は他者ではない。私たち自身が鬼なのだ」
と考えることが、人間性というものを理解する鍵となる

超人的な能力を身につける修練に耐えなければならない。こうして人間と鬼との壮絶な戦いが始まる。

このような見方からすれば、『鬼滅の刃』は、人間と鬼が戦いあう「マニ教*的世界」を現出させているようにも見える。西欧の倫理思想が大きな影響を受けてきたマニ教的世界観では、光と闇、善と悪とが戦いあっている。そこでは悪は善にとって相容れない他者であり、悪が優勢になるとき、人間の堕落がおこるが、その悪と戦うことによって、善なる人間の魂の救済が実現されていく。現代の多くのコミックやゲームが、このようなマニ教的世界観を背景にしてつくられている。ところがこの作品を注意深く見てみると、『鬼滅の刃』にはマニ教的世界観からの決定的な逸脱が、仕込まれているのがわかる。

## 愛のための戦い

興味深いことに、『鬼滅の刃』の世界では、人間にとっての外部性をあらわす悪を体現しているはずの鬼は、どんなに恐ろしい能力を持っていようとも、人間性と絶対的に対立しあってはいないのである。人間から人間性の部分を取り除いた残りが鬼であり、逆に鬼の上に人間性をかぶせると人間になる。そういう考えが、この作品を深くしている。

人間と鬼は入れ替え可能な存在なのである。もっともいったん鬼になってしまうと、ふたたび人間に戻るのは難しいので、やむをえず鬼殺しなければならないが、人間が鬼になるのは容易である。人間が「愛」と「信頼」を捨ててしまえば、人間は簡単に鬼になれる。こう考える『鬼滅の刃』は、人間性とは愛の能力のことにほかならない、と主張していることになる。

愛は事物を結合させる力である。この力がなくなると、世界はバラバラに分解しはじめ、強いてそれらの破片を一つにまとめようとするとき、愛なき世界には「権力」が台頭する。じっさいに、深刻な外部性の侵入が現実のものとなっている現代の世界では、その危機をのりこえるためには、強権の発動のみが有効であり、そのおかげで我々は勝利したと考えるような国家体制もできている。

しかしミトロジーの思考は、それとは違う道を探そうとするだろう。人間と鬼＝外部性はもともとが一つなのであるから、いままで外に追いやっていた外部性を取り込んだ、新しい文明は可能なはずである。死に物狂いで鬼と戦いながら、じつはミトロジーは希望の原理を模索しているのである。

＊三世紀のペルシャでマニが興した宗教で、先行のゾロアスター教と同様に、光と闇、善と悪の二元的対立として世界をとらえる。マニ教はキリスト教にも入って、二元論は西欧人の思考の奥深くに染み込んだ

# 丑年を開く

## 牛とワクチン

新型コロナウイルスへのワクチン投与が本格的に開始されようという時節に、牛の年が開く。牛とワクチンには深い因縁がある。牛は人間の天然痘によく似た、牛痘という病気に罹る。その牛痘に罹った乳牛と濃厚接触していた乳搾りの女性は、天然痘に罹りにくいことが、英国の酪農家には古くからよく知られていた。そこで一七七四年、ある英国の農民*が、天然痘の大流行期に、自分の妻や子供たちに牛痘を接種してみたところ、一人も天然痘に罹らずにすんだ。この農民の知恵を医師ジェンナーが改良して、ヨーロッパ中に広めた。そののち、ワクチン接種の方法が、他の多くの病気にたいしても、きわめて有効であることがわかってきた。このようにしてワクチン接種というこの上ない恩恵は、牛との交際をきっかけとして、人類にもたらされることになった。

## ファルマコン

ワクチン接種という技術は、古代ギリシャ人の言う「ファルマコン」の考えにもとづいている。天然痘患者の皮膚に、牛痘の膿《うみ》を塗り込み、天然痘にも効く抗体を人間につくらせるという戦術である。そこでは病気の元凶であったものが、病気を治す「薬」に変わっている。このような「毒」＝「薬」のような存在を、古代ギリシャ人はファルマコンと呼んだ。＊＊

ほとんどの薬はファルマコンである。単独で大量に服用すると毒の作用をもつ鉱物や薬草でもうまく調合すれば、薬として役に立つようになる。医学はこういうファルマコンの知恵として発達してきた。また考えようによっては、文字もファルマコンである。文字が発明されることによって、人間の記憶力は衰えるようになった。しかしそれによって、蓄積保存できる情報量は飛躍的に増大した。記憶にとっては毒物である文字が、文明にとっては薬物の働きをし、国家の礎《いしずえ》を築く道具となったばかりか、それを世のはみ出し者たちが利用することによって、文学を発生させることになった。

薬にして毒であり、善にして悪であるという、あいまいで両義的なファルマコンが働くことによって、人間の社会はなんとか運用されてきた。正義や悪だけでは、社会はうまく動かない。病気になった部位を外科的に取り除くだけでは、根本的な治療はできない。重い病気には軽めの病気で対抗するのがいちばんである。そこで天然痘には牛痘で対抗した。こうしてファルマコン戦

牛はファルマコンの動物であるから、優しい表情を
見せながら、内に憤怒の本性を秘めている。
その二面性によって牛は人類に
多大の恩恵を与えてくれた

術の代表格であるワクチン接種の技術は、牛の体を培養器として確立された。

それどころか、牛という動物そのものがファルマコンなのである。そのことはミトロジーの歴史をひもとくことによって明らかとなる。なかでもインドでは、牛は格別の関心を注がれてきた。古代インドにはドラヴィダという先住民が高度な文明を営んでいたが、そこに北方のイラン高原から金属の武器で武装したアーリャ人が侵入してきた。多くのドラヴィダ人は圧迫されて南インドに逃れて行ったが、征服者であるアーリャ人の文化には、ドラヴィダの魔術的文化からの影響が色濃く残された。

遊牧のアーリャ人にとって、牛は富の象徴として聖なる動物だったが、ドラヴィダ人にとっては、牛も馬も猪も人間が制御することのできない「自然力」の象徴であったから、これらの動物と魔術的に合体することで、人間は神の領域に入り込んでいくことができると考えられていた。そこで半人半獣の神々のイメージが、たくさん生まれた。

## 日本文化の得意領域

頭が牛で体が人間という「牛頭《ごず》」神も、その一人である。この神は他の半人半獣神と同じように、恐るべき災禍や病気をもたらす障害神として、慎重にお祀りされた。この牛頭神を仏教はファルマコンに改造した。ワクチンの思考法で、牛頭神にみなぎる悪の破壊力を、そのまま仏法を守護する「薬物」につくりかえたのである。仏教の聖地「祇園精舎」を守る牛頭天王というのがそれで、この神は純粋な悪の力をもって、不純な悪の力と戦うというファルマコン効果を大いに期待された。この牛頭天王が遠い日本にまでたどり着いて、京都八坂の祇園社に祀られることになった。

八坂神社（祇園社）に鎮座することになった牛頭天王は、疫病を撒き散らす行疫神《ぎょうやくじん》として恐れられると同時に、うまくご機嫌をとることによって流行の疫病を鎮めてもくれるファルマコンの神として、京都の庶民に大人気の神様となった。

とくに「祇園御霊会」という祭礼が、流行病の時期である旧暦六月に催されるようになると、京童を熱狂の渦に巻き込むようになった。牛の頭をした危険なファルマコンの神様を、華麗な山車や山鉾のパレードと甘い音曲によってうっとりと楽しませ、それに乗じて疫病神の厄を払ってしまえというワクチン戦略の祭礼である。

祇園祭に代表されるように、日本人はもともとファルマコンの扱い方の上手な民族であった。正義と悪の対立でものごとを考えない。あいまい性や両義性を自分の武器として、世界と向かい合う。そう考えてみれば、ファルマコンの扱いを得意としてきた日本人にとっては、丑年はまさに絶好の年であるとは言えまいか。

＊ベンジャミン・ジェスティという農民の名前もわかっている

＊＊哲学者ジャック・デリダが『散種』（法政大学出版局）という本でこの考えを深めた

# 大穴持神《オオナモチ》の復活

## 火山列島の上で

日本列島のような、地質学的に危うい場所に築かれた文明というのも、あまり類例がない。ヨーロッパ文明にせよ中国文明にせよ中東文明にせよ、ほとんどの大文明は、磐石な土地の上に築かれている。ところが、私たちの日本列島は、流動するマグマの上に乗って揺れ動いている大地の上にある。

地質的にも、この列島は比較的脆弱である。地球物理学者たちは、日本列島がユーラシア大陸から崩れ落ちてくるデブリ（堆積土砂または残骸）が集まってできあがった列島であり、それがなんども折れ曲がったり、くっつきあったりした末に、ようやく今のような形に落ち着いてきたことを、あきらかにしてきた。

おまけに列島がお腹をさらしている太平洋の海底は、地底マグマの影響でつねに拡大を続けているために、ユーラシア大陸のほうにたえず押しやられている。そのせいで、周りにはいくつものプレートが集まってきて、その境目のあたりが擦れあったり、せめぎあったり、崩れたりを続けている。日本列島はそのためにしょっちゅう、地震や津波や火山の噴火に見舞われている。だから日本文明の中で、堂々として揺るがない「磐石な大地」という観念が育ちにくかったのは、当然である。古代からこの列島は、龍蛇や大鯰《なまず》の背の上に乗っていると想像されてきた。龍蛇はしじゅう体をくねらせながら動いている。大鯰の体はぬめぬめと滑りやすく、その背に乗っかっている列島は、つねに滑落の危険にさらされている。

日本人はこの不安定な大地の上に、その文明を営んできた。そのせいだろうか、ここでは確実な真理を打ち立てようとする情熱が芽生えることは稀で、堅固な論理よりも、揺れ動く情緒のほうが好まれてきた。今日、日本文化の独自性と言われていることの多くは、そのあたりから発生している。

## 列島最古の神

こういう列島の上に、数万年前から人は住み続けてきた。旧石器時代、縄文時代、弥生時代と、そこに住む人たちの生活やものの考え方も、変わってきた。しかし揺れ動く大地は変わらなかった。そのためであろう、火を吐く山々を抱え、つねに揺れ動く、この列島の大地に与えられた神の名前も、変わらなかった。その神の名前は「オオナモチ」、漢字で「大穴持」と書かれた神である。

このところ日本列島とその周辺では
オオナモチ神の活動が活発である。
そのメッセージを読み解くことが、
日本の未来を開くであろう
（三原山）

八世紀の記録に、オオナモチという神の名前が登場してくる。この頃、南九州では海中火山の噴火が相次ぎ、その報告を受けた奈良の朝廷は大慌てで、猛威を振るうこれらの火山神を、正式な神の仲間に列することで、怒りを鎮めようとした。「大隅の国の海中に神ありて、島を造る。その名を大穴持の神と曰ふ。ここにいたりて官社となす」（七七八年の記録）。

大きな穴を持つ神＝オオナモチは、文字どおり噴火口を持つ火山の神である。この神はすでに縄文人にもよく知られていた。例えば駿河湾から富士山麓に入植していった縄文人は、富士山が噴き出した溶岩流の先端に接するように、神への遥拝所である「神籬《ひもろぎ》」を作っている。彼らは富士山そのものを「大きな穴を持つ神」とみなし、その穴から流れ出てくる溶岩を、力の源泉としてお祀りしていた。

オオナモチという神の名前は、縄文時代から日本列島の広い範囲で知られていたと思われる。火山の神名から生まれたオオナモチは、そのうち大地そのもの、列島そのものの神の呼び名に変化していった。地震が起こっても、それは大地の神オオナモチが体を揺すったからであると解釈されるようになった。とりわけヤマト朝廷の影響力に対抗していたイズモ系の人たちは、先祖以来の伝統を尊重して、オオナモチを彼らの重要な神とした。

イズモの国では、大地の神オオナモチと、その大地の上にできたクニを統治する神オオクニヌシ（大国主）は、一体と見なされた。オオナモチはときに憤怒を示す神だが、オオクニヌシは温和な優しい神である。イナバの浜でいたずらものの白兎を助けたオオクニヌシ＝ダイコク様は、もとをただせば噴煙をもうもうと上げて、火の灰を降らす火山神なのである。* 日本列島に住んだ最古の神の名前は、こうしてイズモ神話の中に保存されて、今日に伝わった。

## よみがえる異教の神

オオナモチの神は、もともとはヤマト朝廷系の神々とは異質な、いわば「異教の神」なのである。太陽神アマテラスにたいしては、暗黒の大地に潜む神であり、その意思は自然の暴威としてしめされる。オオナモチの存在は、長いこと忘れられていた。ところがそのオオナモチが、阪神・淡路大震災から東日本大震災をへて、日本人の心に大きな影を落としはじめているように、私は感じるのだ。

日本人はあらためて、自分たちが日本列島という危うさを抱えた大地の上に、生きていることを痛感し、いまはまた新型コロナウイルスが象徴する自然力の侵入に、翻弄されている。日本人の無意識を規定してきたミトロジーの体系を、いまこそ大転換する時が来ているのではなかろうか。なにかが火山列島に暮らす民に、オオナモチへの目覚めを促すことによって、新しい時代に備えよと、信号を送っている。

* 『火山列島の思想』（講談社学術文庫）で国文学者の益田勝実が初めてオオナモチ神の意義に脚光を当てた

# 気象予報士の時代

## メテオの台頭

『天気の子』がいち早くそのことに気づき、その先見的な着想をぐっと薄めた朝ドラ『おかえりモネ』が暗示しているように、現代は「メテオ（気象）」の時代である。

これまでは経済の時代だった。経済は人間の欲望と思惑によって動く現象だと考えられていたから、気象のことなどは「外部要因」という扱いを受けてきた。ところが、あまりに活発化した経済活動によって、気象システムの安定が破壊されるようになると、いままで外部要因だったものが、一気に人間の世界の内部に流れ込みはじめた。今日ではもはや、気象の変化を考慮に入れない経済予測など、成り立たなくなってしまった。

気象現象は、天空の女神の司る領域である。固い大地の上で繰り広げられる男性的現象と違って、天空の領域ではあらゆるものが軽やかに流動していく。大気に含まれる水分は、熱を受けて水蒸気となって上昇し、雲となる。雲はきまった形をもたず、大気の流れ（風）にしたがって、変幻自在にその姿を変えていく。そこではさまざまな物質系が、たえまなく攪拌《かくはん》され、複雑な層をなしながら混じり合っていく。

そのため気象の領域には、固い物理学は通用しない。そこでは揺れ動くカオスから秩序が生まれ、いったん生まれた秩序は、ふたたびカオスに溶け込んでいく。そのため気象学は、カオス理論や複雑系のような新しい科学の独壇場である。天空の女神は、確実性の大地に足をつけていないから、あらゆるものごとは確率でしか語れない。このような霊妙な気象現象が、今日では地上的現実の中にいっせいに流れ込むことによって、私たちの世界の「知識」の形を大きく変え始めている。

人間的な現象の中に、人間のものではない領域の影響が流れ込んできているために、これまでのような人間中心主義的な学問知識は、つぎつぎと無効を宣告されている。そういう時代に求められている知識の形を象徴するものとして、いま気象予報士というモデルが浮上してきた。

今日ではあらゆる事象が、気象化《メテオ》しているのである。経済の領域では、実体経済の大地を離れた金融の世界での出来事が、大きな存在感を持つようになっていて、そこでは実体性のある貨幣ではなく、ただの数値である情報が、すべてを動かしている。膨大な情報が大気中の雲のようになって、コンピューターの中で集合離散を繰り返し、各地に雨を降らせたり、ハリケーンを起こしたりしている。

メテオの時代を象徴するグレタ・トゥーンベリ。
蝶々のような彼女の小さな羽ばたきは
世界中を巻き込む
巨大ハリケーンにまで成長をとげた

## 世界は気象化する

それに気象現象と同じように、現代の事象はどんなものも、軽く国家の枠などを越境してしまう。人流も資本流もウイルス流も、グローバリズム化した今日の世界では、地表の地形や人為的な国境などを無視して、大気の女神のダンスさながら、雲や風となって地表を流れていくのである。人間の心も気象化している。真実と偽物を見分ける基準を、人間はみずから捨て去ろうとしている。真実の情報に向かって、「お前はフェイクだ」と呪いの言葉を投げかけるだけで、黄金の真実もたちまち色あせた鉛の言説に変わっていってしまう。こうして基準を失った判断は、これまた雲のように不確定な大気の中を流れていくようになる。

これまでは、人間的な事象には、気象のような不確かな動きに左右されない、堅固な何かが支えになっているという思い込みがあったが、その思い込みはもはや通用しない。こういう時代では、いままでのように地上の人間のことばかりを見ながらつくられてきた哲学や社会学には、未来への羅針盤としての機能を果たすことができなくなっている。

そういう時代には、誰もが気象予報士の知性を持たなければならない。誰もが空を見上げ、雲の流れを観察し、近未来を予知する「天気の子」としての新しい知的習慣を身につけなければならない。自然が人工の中に流れ込み、気象的流れにそって、人工物でできた世界は、その姿を変えていく。メテオ型知性を人間の中に呼び込んでいくことが、今日の人類の大きな課題である。

## バタフライ効果

このような世界の気象化の動きに、大きな力を貸しているのが、SNSである。気流に生じた小さな局所的変動が、周囲に波及していって、ついにはグローバルな規模での巨大な変動を起こしていく、という気象学で有名なローレンツの「バタフライ効果」の理論*が、人間の世界にも起こりうることを、SNSは証明している。

南米のジャングルで蝶々の羽ばたきが起こした、小さな気流のゆらぎが、ついにはフロリダの巨大ハリケーンにまで発達できることを、この理論は示している。それと同じように、SNSに書き込まれたささやかな記事が、いつの間にかインターネット空間全域に広がっていき、あたりを巻き込んで、巨大な発言力にまで発達していけるのが、現代という時代である。

こうして、スウェーデンの一少女の始めた、ささやかな登校拒否の運動は、またたくまに全世界に波及していき、地球環境保護の巨大な運動に発達していった。バタフライ効果が起こったのである。今日では社会運動でさえ、気象予報士のセンスがないと、大きなうねりをつくりだすことはできない。

＊正確に言うと「蝶々が羽ばたく程度の非常に小さな攪乱でも遠くの場所の気象に影響を与えることができる」というカオス理論の寓意的表現。この理論のおかげで気象予報はいっそう難しくなった

# エコロジーの神話（1）

## 創始者ゾロアスター

現代エコロジー思想の礎を築いたのは、いまから数千年前のペルシャに現れた、ゾロアスターという宗教改革者である。ゾロアスターが出現した頃*、現在のイランから中近東にかけての地帯は、農業の発展による「新石器革命」の最盛期に、さしかかっていた。

牛や豚の家畜化が進んで、そこでは動物を神々にささげる血なまぐさいサクリファイスの儀式が、盛んにおこなわれていた。農地を拡げるための土地開発も、すさまじい勢いで進行していて、森林はつぎつぎに失われていった。

そういう世界で隆盛を極めていたのが、サクリファイスを中心とする多神教宗教である。ゾロアスターはこの宗教に深い疑いを抱いた。神々はたくさんいたが、絶対的な正義を確立して、善と悪を峻別することのできる原理を体現している神はいなかった。

たくさんの牛たちが、神々へのお供え物として、毎日無造作に殺されている。こんなことに意味があるのだろうか。ゾロアスターは考え抜いた末に、当時の世界のありかたを根底から覆す、宗教の大改革にとりかかった。

ゾロアスターの新宗教では、絶対的な正義を体現する神アフラ＝マズダが君臨し、悪の神と闘争することによって、世界の秩序がつくられた。自然神たちの整理がおこなわれて、アフラ＝マズダだけがこの世界の成り立ちを支えている、唯一の善の神とされた。

農業革命から派生した、さまざまな原始的な風習が禁止され、多数の動物を殺害するサクリファイスの儀式をやめさせ、植物食を重視するおだやかな生活を推奨した。森林伐採による自然の乱開発に歯止めをかけようとした。ゾロアスターの思想は、西洋文明の基礎を築いた。

## 一神教的エコロジー

ゾロアスターは一神教の考えの原型をつくった。ユダヤ教もキリスト教もイスラム教も、独創的な彼の宗教からじつに大きな影響を受けている。しかし、ミトロジーにとってそれ以上に興味深いのは、ゾロアスターが今日でいうエコロジーの思想を、力をこめて語っていることである。

ゾロアスター教の聖典『アヴェスタ』には、じっさいにゾロアスターが語ったと思われる、「牛の嘆き」という一節が残されている。そこでは、サクリファイスの儀礼で殺された牛の霊が、天国のアフラ＝マズダ神をつかまえて、痛烈な批判を浴びせかけている。牛は人間とその神をこう糾弾する。いったい人間は何頭の牛を、意味もなく殺せば気がすむというのか。あなたが人

現代エコロジー思想の背後には、
一神教的ミトロジーの世界観が据えられていて、
人間中心主義のそのミトロジーと科学が
結合している。
そこには何かが欠けている

間たちに許しているこの愚行のために、私たち牛は塗炭の苦しみをなめている。これを放置しておくようなら、私たちはあなたを信じない、と。

人間はあまたの種類の動植物といっしょに、神によって創造された。その被造物のなかで、人間は卓越した知力によって、生命界の頂点に立つ存在となった。しかしそれだからといって、人間はほかの生命を、自分の好き勝手に利用していいというわけではない。ゾロアスターは、人間は神によって創造された環境世界の「牧人＝シェパード」となって、そこに生きるすべての動植物を保護管理する役目を負っている、と考えた。環境世界の羊飼いとなって、自分より弱い立場の動植物を守るのである。

この考えは、イエスの思想にも受け継がれている。世界の支配者ではなく「良い羊飼い」になることが、人間にあたえられた使命だと、イエスも語っている。これは現代エコロジーの考えと、基本的に一致している。農業が開いた新しい新石器的産業時代に、ゾロアスターが抱いた環境思想が、ほとんどそのままのかたちで、資本主義の現代に「エコロジー思想」として、蘇っているのである。西洋で発達したエコロジー思想の背後には、一つのミトロジーが横たわっている。私はそれを「一神教エコロジー」と呼ぶことにする。

一神教エコロジーではごく自然に、環境世界にヒエラルヒー（位階）ができあがる。創造主である神に包摂されるようにして、環境世界の頂点には人間が立ち、その下にもろもろの動物と植物が据えられる。この位階秩序のなかで、もっとも卓越した存在である人間は、動植物を自分のために搾取するのではなく、地球全体の環境バランスを考えながら、良い牧人として、動植物の生きる環境を守り管理すべきである、というのが、一神教エコロジーの考えである。

## ホモ・デウスぬきで

この考えでいちばん問題になるのが、環境保護がすべて人間の視点から考えられていることである。人間の脳が見ている世界だけが、唯一の実在世界で、動植物たちはその人間中心主義的な世界の、たんなる脇の登場人物でしかない。良い牧人である人間は、その動植物たちを守り管理するのだが、すべての操作は人間の側からコントロールされる。

その人間がＡＩの発達によって、いまや神をも凌駕する、「ホモ・デウス」の地位につこうとしていると言われる。人間中心主義が突き進んでいった末に、地球環境まで人間が決めてしまう「人新世」に、踏み込んでしまった。一神教エコロジーには、どこか重大な欠陥が抱え込まれている。エコロジー思想の別の可能性を開発しないかぎり、地球上の生命に未来はない。

＊これには諸説がある。一般には二千数百年前頃の人と言われているが、ゾロアスター革命の意味を掘り下げていくと、Settegast の主張するような八千年前頃の人という考えも可能だ

# エコロジーの神話（2）

## 仏教エコロジー

一神教エコロジーは、人間を動植物の世界から特権的存在として分離する。そのために、動植物は人間にとって客観的な対象になる。人間は、人間の視点から自然を観察して、自然保護のための計画を立てて、実行に移す。そうやって人間は、環境世界の「牧人＝シェパード」としての任務を果たさなければならない。一神教的ミトロジーに裏打ちされたエコロジーの考えでは、あくまでも環境保護の主体は、人間である。

こういう思想にたいして、仏教はまったく対極的な立場から、別のエコロジー思想を考えてきた。仏教では人間を特権化しない。人間がとらえている世界だけが、唯一のリアルな世界ではなく、あくまでも人間の脳と感覚器官と身体がつくりあげている、「さまざまな可能性のなかの一つ」としての世界にほかならない。

ほかの動植物には、彼ら独自のそれぞれの世界がある。動物のことを取り上げてみても、進化の過程で彼らが発達させてきた、身体や神経組織の構造は、どれもがみんな違っていて、そのために彼らが見ている世界は、どれも同じではない。つまりこの世界は、もともとが「多世界」としてできている、というのが、仏教の考え方である。

だから、同じ場所でカエルとコオロギが出会ったとしても、それぞれが心のなかで思い描いている世界は違っているのである。それでも匂いや視覚などの回路をとおして、おたがいの間に連絡がつけられ、相手の動きにハッと気がついたカエルは、コオロギを捕食しようと身構える。カエルが伸ばしてきた長い舌から、あわてて身を逸らしたコオロギは、「カエル世界」とは異なる「コオロギ世界」の構造のなかを、一目散に逃走する。

## 人間は中心ではない

仏教の考えでは、それぞれの異種生物は、それぞれが夢のようなつくりをした「自分たちの世界」を生きているが、そうした多世界の間に、蜘蛛の巣のような緻密な網の目が張り巡らされることによって、環境世界がつくられている。

この網の目のなかには、特権的な存在はいない。小さなものも大きなものも、すべての生命が平等で、この世界のどんな小さな部分を担っている存在も、それがいなくなるようなことになれば、全体に衝撃が走ることになる。人間ですら、特権的な存在ではない。人間が宇宙からいなくなることと、絶滅危惧種の小生物がいなくなることとは、仏教では同じ重みをもっている。この

仏教エコロジーの思想を象徴するのが、
この「インドラの網」のイメージである。
人間は動植物を牧人として見守るだけではなく、
インドラの網の修繕に励む「存在の庭師」をめざす

緻密な網の目が、仏教エコロジーの考え方を象徴している。

ここには、世界を創造する神はいない。仏教のミトロジーではそのかわりに、宇宙を隅々まで満たしている知性的な力（仏性）があって、それぞれの生き物はその知性的な力の「表現」になっている、と考える。宇宙そのものであるこの知性的な力は、それぞれの生命をつうじて、自分の一部分を表現しているから、生命の種類が豊かであればあるほど、この表現は豊かで、多彩で、力に満ちたものになる。

こんな風に考えてみると、仏教エコロジーは、一神教エコロジーよりも、ずっと現代科学との折り合いがよいように思えてくる。現代科学そのものが、仏教エコロジーの思想に近づきはじめているからである。いまの世界で影響力をもつエコロジー思想は、一神教的なミトロジーに裏打ちされて発達をとげてきたもので、人間中心主義への強いバイアスを秘めている。そういう人間中心主義を、現代科学は乗り越えようとしている。

## 未来のエコロジー

シェパードは羊の群れを、外から眺めて観察して、保護や管理のやり方を考える。羊たちがまわりの世界をどうとらえ、どう思考しているかについては、あまり関心がない。あくまでも、特権的生き物である人間の側から、観察や管理がおこなわれる。

これにたいして、仏教的エコロジーでは、世界は生物の内側の視点からとらえられる。それぞれの生物種が、各自の生物的条件をとおして見ている「多世界」が交錯し合う場所に、環境世界はつくられている。小さな路地一つとってみても、スズメのとらえている世界のマップと、犬のとらえている世界のマップが、互いに重なり合い、連絡し合いながら、複雑なネットワークをなしている。そこに人間が歩いてやってくる。人間の頭のなかでは、さまざまな想像や感情や思考がたえまなく動き続けているが、そんなことに関係なく、スズメは警戒して逃げ去り、犬は人間に一瞥《いちべつ》をあたえて、散歩の進路を少し変化させる。小さな路地も、響き合いの宇宙である。

人間にほかの生物にはない取り柄があるとしたら、脳のなかにＤＮＡや環境の条件に左右されにくい、自由な領域が広く確保されていることによって、世界に充満している知性的な力に、近づいていくことができることである。その知性的な力には、ほかの存在を思いやる「慈悲」の力が内蔵されている。人間はその力をほかの生き物たちに注いでいくことができる。

仏教のミトロジーによるエコロジーでは、環境世界の特権的なシェパードではなく、生命のネットワークそのものが、主人公なのである。人間はそこで宇宙の庭師として、ネットワークの保全につくすことになる。

# 反抗的人間の現在

## 牡蠣殻拾い

東京湾の市川市の江戸川河口部に、多数の中国人が集まって、牡蠣を採って食べている。その殻が大量に河川敷に捨てられていて、清潔好きの日本人の顔を曇らせている。そのうちボランティアたちがSNSを通じて集まり、清掃作業をおこなうようになった。その中には中国人の集団も混じっていて、同胞たちのしでかした不始末の後始末を、黙々とおこなった。

とうぜんマスコミもこのことに気がついて、清掃作業中の中国人のグループに取材を試みるようになった。彼らの大半は、仲間がご迷惑をおかけしまして申し訳なく感じて、というような殊勝な返事で、美談の捏造に余念のないマスコミを、おおいに満足させていた。

ところが、である。そこから少し離れたところに、静かに作業をおこなっていた中国系若者のグループがいた。さらなる美談を求めていた日本人は、彼らの話も聞いてみたくなった。するとこの静かな若者たちからは、思ってもみなかったようなパンクな返答が返ってきた。

地元のおやじさんがたずねる。

「あんたら、どこの人？　台湾か？」

若者が答える。

「台湾じゃありません。えーと、私たちは外国人です」

よく聞いてみると、この若者たちは「オタク系中国人ネットユーザー」のグループで連絡を取り合っている仲間らしい。流暢な日本語で、彼らが語る。

「自分が中国人でいたくないいんですよ。あんなひどい国の国民でいるくらいなら、無国籍の外国人でいたいです」

「日本みたいな民主主義の国の人たちは『中国政府と中国人は別だから、中国人とは仲良く』とか言いますよね。僕らはそう思わないです。ああいうクソみたいな体制に反抗しないで、むしろ喜んで選んで支持している時点で、そもそも中国人自体が根本的に救いがたい連中だと」

## うっせえわ

この記事*を読んで、私はいよいよ中国のZ世代の中にも、過激な「うっせえわ」の精神が育ちはじめていることに気がついて、目の覚めるような思いがした。中国の「うっせえわ」たちは、自国の体制や権威というものを、まるっきり信じていない。

その体制の中で偉そうにしている連中もゴミだが、そんな体制のつくっている社会を受け入れ

「私たちは異邦人です」と
言いながら現代の反抗的人間たちが
牡蠣の殻を拾っている
ミトロジー的光景
（東京新聞）

ている大衆のことも、また大衆が信じ込まされている幸福も、まるで信じていない。ついでに言えば、はらわた煮えくり返りながら清掃作業している自分たちを、勝手な美談に仕立て上げようとしている、民主主義の国の能天気なマスコミも、うっせえわ。

自分たちを「外国人（異邦人！）」と呼び、秩序をつくっているあらゆる権威や常識に「反抗」していくといったら、これはもうりっぱなカミュの「反抗的人間」の精神である。反抗的人間はこの世界に根源的に反抗しているから、体制批判の政治運動をしたりすることにも否定的である。政治運動する連中だって、けっきょくは常識にしばられていて、その連中が権力を得たりしたら同じことをするにちがいないからだ。

反抗的人間は、この世界からさわられたくないのだ。世界の価値観にさわられただけで、嫌な臭いがしてくる。私にさわるな！　近づくな！　だから表面上はおとなしく生活して、目立たないようにしている。自然と引きこもりがちになるため、健康そうな市民たちからは、からだだいじょうぶ？　こころだいじょうぶ？　と心配（しているフリ）されたりする。しかし反抗的人間に言わせてもらえば、あなたが思っているより私ははるかに健康です！

さいわいSNSを通じて、自分と同じような感覚で生きている人を発見することができる。その人たちとネットの中で接触しあうことによって、表の世界をつくっている秩序の網とは別種の、表面に出てこない網の目をはりめぐらせることができる。この網の目は、社会的な力を持たない。しかし反抗的人間にとっては、社会の中で影響力を持つなんてまっぴらな話なので、「自分たちはどこの国の人でもありません」「いいことをしようなんて思ったこともありません」とつぶやいて、黙々と貝殻を拾い続ける。

## 生きているグノーシス

こういう反抗的人間には、ミトロジーの原型がある。「グノーシス」である。グノーシスとは、世の中で正しいといわれている考えとは異なる、「智慧」のことをいう。このグノーシス＝智慧の探求者から見れば、現実の世界をつくっているのは偽りの体系にほかならない。その体系をつくったのは「ヤルダバオート」という神のフリをしている偽の神で、ほんものの神はどこかに押し込められて隠されてしまっている。そこでグノーシスの探求者は、現実の世界にたえまなく反抗しながら、隠されているほんものの神の智慧に触れようと、努力して生きるのだ。

二十世紀の後半あたりまでは、マルクス主義が現代のグノーシスであると、多くの人々に信じられていた。ところがそれもヤルダバオートの仲間であったことが暴露されてからは、グノーシスの可能性は絶たれてしまったかと思われた。しかしそれはネットの中で生きていたのである。中国からやってきたそのグノーシスの卵たちが、東京湾で黙々と牡蠣の殻を集めて汗を流している。なんと美しい神話的光景ではないか、と私は思うのである。

＊ PRESIDENT Online に出た安田峰俊による記事（２０２２年8月19日）

# 謝辞

週刊誌連載は気が抜けない。『週刊現代』の編集者だった黒沢陽太郎さんの共感にみちた毎回の励ましに私はおおいに助けられた。彼からバトンを受けた栗原莞爾さんが現在はその役を担っている。考察の素材の選択にあたっては野沢なつみさんの協力があった。書籍にする際には園部雅一さんと岡林彩子さんのご尽力によった。講談社選書メチエに入ることができたのは互盛央さんの深いご理解による。

【図版】
・アフロ　p.37 p.42 p.47 p.89 p.146 p.151 p.156 p.188 p.241 p.246　・時事通信フォト　p.203 p.226　・共同通信イメージズ　p.57 p.94 p.126 p.131 p.163 p.211　・イメージナビ　p.183　＊その他キャプションに明記のないものは、著者提供、講談社資料センター

中沢新一（なかざわ・しんいち）

一九五〇年生まれ。東京大学大学院人文科学研究科修士課程修了。京都大学特任教授。思想家。

著書に、『チベットのモーツァルト』『雪片曲線論』『森のバロック』『カイエ・ソバージュ』シリーズ、『アースダイバー』シリーズ、『レンマ学』『野生の科学』ほか多数ある。

le livre

# 今日《こんにち》のミトロジー


二〇二三年　一月一一日　第一刷発行



著者　中沢《なかざわ》新一《しんいち》





発行者　鈴木章一

発行所　株式会社　講談社
東京都文京区音羽二丁目一二—二一　〒一一二—八〇〇一
電話（編集）〇三—三九四五—四九六三
（販売）〇三—五三九五—四四一五
（業務）〇三—五三九五—三六一五

装幀者　森　裕昌

本文データ制作　講談社デジタル製作

本文印刷　凸版印刷　株式会社

カバー・表紙印刷　半七写真印刷工業　株式会社

製本所　大口製本印刷　株式会社

KODANSHA





ISBN978-4-06-530592-8　Printed in Japan　N.D.C.100　262p　19cm

# 講談社選書メチエの再出発に際して

講談社選書メチエの創刊は冷戦終結後まもない一九九四年のことである。長く続いた東西対立の終わりはついに世界に平和をもたらすかに思われたが、その期待はすぐに裏切られた。超大国による新たな戦争、吹き荒れる民族主義の嵐……世界は向かうべき道を見失った。そのような時代の中で、書物のもたらす知識が一人一人の指針となることを願って、本選書は刊行された。

それから二五年、世界はさらに大きく変わった。特に知識をめぐる環境は世界史的な変化をこうむったとすら言える。インターネットによる情報化革命は、知識の徹底的な民主化を推し進めた。誰もがどこでも自由に知識を入手でき、自由に知識を発信できる。それは、冷戦終結後に抱いた期待を裏切られた私たちのもとに差した一条の光明でもあった。

その光明は今も消え去ってはいない。しかし、私たちは同時に、知識の民主化が知識の失墜をも生み出すという逆説を生きている。堅く揺るぎない知識も消費されるだけの不確かな情報に埋もれることを余儀なくされ、不確かな情報が人々の憎悪をかき立てる時代が今、訪れている。

この不確かな時代、不確かさが憎悪を生み出す時代にあって必要なのは、一人一人が堅く揺るぎない知識を得、生きていくための道標を得ることである。

フランス語の「メチエ」という言葉は、人が生きていくために必要とする職、経験によって身につけられる技術を意味する。選書メチエは、読者が磨き上げられた経験のもとに紡ぎ出される思索に触れ、生きるための技術と知識を手に入れる機会を提供することを目指している。万人にそのような機会が提供されたとき初めて、知識は真に民主化され、憎悪を乗り越える平和への道が拓けると私たちは固く信ずる。

この宣言をもって、講談社選書メチエ再出発の辞とするものである。

二〇一九年二月　　野間省伸